世界は贈与でできている

資本主義の「すきま」を埋める倫理学

近内悠太
CHIKAUCHI YUTA

NEWS PICKS PUBLISHING

まえがき

１９９０年代のスイス。

原子力エネルギーに大きく頼っているこの国では、核廃棄物の処理場が必要だった。

その建設候補地として、ある小さな村が選ばれた。

建設の可否を決める住民投票の前に、数名の経済学者が、村の住民に対して処理場受け入れに賛成か反対か、事前調査を行った。すると51パーセントの住民が「処理場を受け入れる」と答えた。

そこで経済学者たちは、一つの前提を加えた上で、もう一度アンケートを実施した。「国が全住民に毎年、多額の補償金を支払う」という前提だ。つまり、処理場を受け入れてもらう「見返り」として住民の皆さんに大金を払いましょう、という提案を付け加えたのだ。

すると、結果は予想に反して、賛成派は51パーセントから25パーセントに半減してしまった――。


これは『これからの「正義」の話をしよう』で日本でも注目された政治哲学者、マイケル・サンデルの著書『それをお金で買いますか』で取り上げられている実話です。

何の見返りもなく処理場を受け入れると言った住民たちの半数が、「見返りとして大金を払う」というオファーを提示されたとたん、意思を変えてしまったのです。

この結果は、僕らの常識に反するように思えます。

僕らは、それに見合う対価や見返りが支払われるのであれば、嫌なことでも引き受けると考えています。ましてや、このスイスの例のように、そもそも処理場受け入れに賛成している住民が、多額の補償金を提示されたとたん受け入れ拒否に回る、というのは不可解です。

この結果は何を意味しているのでしょうか。

そもそもなぜ住民たちが処理場受け入れに賛成したかというと、「自分たちの国は原子力に依存しているのだから、核廃棄物はどこかに貯蔵されなければならない」という認識が住民の間にあったからです。つまり、原子力の恩恵をすでに受け取っているのだから、私たち国民がその負担を引き受けなければならない、という「公共心」があったということです。これまでに受け取っていたものに対するお返しとして、自らがそれを引き受けよう――。

ところが、経済学者たちによる事前調査は、そのような無償の善意を「お金で買おう」としてしまったのです。そしてこのお金は、住民たちにとっては、賛成票を買うための賄《わい》賂《ろ》に見えてしまった。だから反対した、ということだったのです。

誰かが引き受けなければならない、市民としての貢献は「お金では買えないもの」だったわけです。


お金では買えないもの。

実は僕らは、この正体が分かっていません。

実際、先ほどの結果が僕らの常識に反しているように見えるという点にそれが示されています。

お金で買えないものとは何であり、どのようにして発生し、どのような効果を僕らにもたらすのかが分かっていない。だから、常識に反するように思われるのです。


本書では、このような、僕らが必要としているにもかかわらずお金で買うことのできないものおよびその移動を、「贈与」と呼ぶことにします。


そして、僕らはお金で買えないもの＝贈与のことがよく分かっていません。

でも、それもそのはずなのです。

学校でも、社会に出てからも、贈与について誰も僕らに教えてくれなかったからです。

しかし、冒頭のスイスの例のように、僕らはお金で買えないもの、つまり贈与を必要としています。

必要であり重要なのに、その正体が分かっていない。

僕らが贈与について理解していない証拠はまだあります。

家族や友人、恋人など、僕らにとって大切な人との関係性もまた、「お金では買えないもの」です。

そして、家族や友人、恋人との関係で悩んだことのない人は少ないはずです。

なぜそのようなことが起こるのか。そこにはお金では買えないもの＝贈与の原理が働いているからです。

贈与の原理が分かっていないからこそ、僕らは大切な人たちとの関係を見誤るのです。

だとするならば、僕らにまず必要なのは、贈与を正しく語る言葉です。

そして、その言葉を通して、贈与の原理を見出すことです。

哲学者の戸田山和久は、「哲学は結局のところ何をしているのか」という問いに、「哲学の生業《なりわい》は概念づくりだ」と答えています。では哲学は何のために概念をつくるのか。答えは「人類の幸福な生存のため」です。

戸田山は、一見対極にある「工学」が、実は哲学とよく似ていると言います。

　概念は人工物である。よりよい人工物を生み出すことで人類の生存に貢献する。この点で工学と哲学は似ている。もちろん、どんな人工物も、正義の味方になったり悪魔の手先になったりする。だとするならば、哲学者のつとめは、できるだけよい概念を生み出すことだろう。ここも工学と似ている。

（『哲学入門』、444-445頁）

つまり言葉や概念は、僕らが幸福に生きていくためのテクノロジー、生活の技なのです。

そして、幸福な生を実現するためのツールを、僕らは自ら作り出すことができる。

そんな生活の技として、本書は20世紀を代表する哲学者、ルートヴィヒ・ウィトゲンシュタインの力を借ります。

なぜウィトゲンシュタインなのか。

それは、彼が「言語ゲーム」という、きわめてユニークで強力な概念装置を発明したからです。

この概念装置を用いることで、僕らは世界の見えかたを大きく変えることができます。

概念の獲得は当然、僕らの使う言葉を変えます。

そして、言語の変化は行動と生活の変化を生む――。

これがウィトゲンシュタインの言語ゲーム論が示した事実でもあります。


先ほど、家族や友人、恋人など、僕らにとって大切な人との関係性はお金では買えないと述べました。そして、そこには贈与の原理が働いているとも。

だから、贈与に関する新しい言葉と概念を得て、贈与の原理を知ることで、行動と生活が変わり、僕らにとって大切な人たちとの関係性が変わるのです。

まったく新しい関係性になるというのではなく、大切な人たちと出会い直すのです。


贈与の原理。

言語の本質を明らかにしたウィトゲンシュタイン哲学。

この二つを理解することで、僕らはこの世界の成り立ちを知ることができます。

これが本書の目的です。

従うべきマニュアルの存在しないこの現代社会を生きるためには、哲学というテクノロジーが必要なのです。

さらに、本書の議論を通して、「生きる意味」「仕事のやりがい」といった金銭的な価値に還元できない大切なものを、どうすれば手に入れることができるのかも明らかになります。

贈与の原理と世界の成り立ちから、生きる意味へ。

では、始めましょう。

世界は贈与でできている——目次

第2章　ギブ&テイクの限界点　47

第3章　贈与が「呪い」になるとき　71

第4章　サンタクロースの正体　95

第5章　僕らは言語ゲームを生きている　119

第1章 What Money Can't Buy——「お金で買えないもの」の正体

なぜ僕ら人間は他者と協力し合い、助け合うのか。

どうして一人では生きていけなくなったのか。

言い換えれば、僕らが社会を作り、その中でしか生きていけなくなってしまったのはなぜか。

その最初のきっかけは、進化の中でホモ・サピエンスが、直立二足歩行をしてしまったことによってもたらされた。

すべてはヒトの「早産」から始まった

人間の新生児はなぜ未熟な状態で生まれてくるのでしょうか。

たとえば馬は生まれた直後に立ち上がることができます。しかし、人間の新生児は立つことも、一人でものを食べることもできません。

なぜ人間の乳幼児は、周囲の年長者による保護や教育が与えられなければ生きていくことができないという「弱さ」を抱えることになったのでしょうか。

ヒントは「直立歩行に適さない骨格」と「大きな脳」です。

日本でもベストセラーになったユヴァル・ノア・ハラリの『サピエンス全史』でも紹介されている議論ですが、ハラリによると、霊長類の骨格はもともと四足歩行に適したものでした。四足歩行から直立歩行に移行するには腰回り、つまり骨盤を細める必要があり、それにともなって女性は産道が狭くなりました。

またこのとき、人間は他の動物たちよりもずっと大きな脳を獲得しつつありました。つまり、人間の赤ちゃんは大きな脳を携えながら、狭くなった産道を通って生まれてこなければならないという難点を抱えることになったわけです。人間は哺乳類の中で最も難産な種だそうです。

進化はどのようにしてこれを解決したかというと、脳の発達が完了する前の段階、すなわち「頭が大きくなる前の段階で出産する」という道を選びました。それにより母体の生存率と子供の出生率が上がり、自然選択によって人間は早期の出産をするようになりました。

このようにして、人間は未熟な状態で生まれてくることになったわけです。

さて、重要なのはここからです。

出産後、成長途中の未熟な乳幼児を抱えた母親は数年間にわたって食べ物を自身の力で採集することができず、子育てを周囲の人間に手伝ってもらわなければならなくなりました。それと同時に、人間のある能力が発達します。

ハラリの言葉を引きます。

人間が子供を育てるには、仲間が力を合わせなければならないのだ。したがって、進化は強い社会的絆を結べる者を優遇した。

(『サピエンス全史(上)』、22-23頁、強調引用者)

進化のプロセスからすれば、脳の小さい未熟な新生児を産むという解決策ではなく、大人の身体のほうが進化して、直立歩行を可能にしながらも骨盤を大きくしたり、産道を広くするなどして脳が完成した子供を産めるようにする、という選択肢もありえたはずです。

しかし、自然はそのような身体的拡張ではなく、社会的能力のほうを選びました。子育てや互いの生存のための信頼できる仲間。見返りを求めず助け合える関係性。

僕らは、僕らが人間となって文字通り立ち上がった瞬間から、つまり、人類の黎明期の一番初めから、「他者からの贈与」「他者への贈与」を前提として生きてゆくことを運命づけられてしまったのです。そして、そのような仕方で僕らはかろうじてこの世界を生き延びてきました。

「お金で買えないもの」とは何か

信頼関係や助け合いは明らかに「サービス」ではありません。ましてや「商品」ではありません。そもそも市場というものが出現するはるか以前からある人類学的慣習ですから、そのようなタームで語れるはずがありません。それらはいわば「お金では買えないもの」です。

「お金で買えないもの」。これはたしかによく耳にする言葉です。

しかし僕が気になるのは、ここに「否定」が入り込んでいることです。

お金で買えないもの、という否定的定義。

たとえば「猫」はたしかに「犬ではないもの」ですが、それで猫が十全に定義され、説明されているわけではもちろんありません。

「猫とは何か？」と問うたときに「犬ではないもののことだ」という答えに満足できる人はいないでしょう。なのに、なぜ「お金で買えないもの」という言い方に僕らは満足してしまうのでしょうか？

その言葉によって、何かが言い表された気になるだけで、それがどのようなものであり、どのような効果を僕らにもたらすのかは一向に分かりません。

お金では買えないもの。それは一体何なのでしょうか？

僕らが必要としているにもかかわらずお金で買うことのできないものおよびその移動を、ひとまず「贈与」と呼ぶことにします。それは定義上、商品やサービスという「市場に登場するもの」とは異なるものとなります。

では、お金で買えないものは、どうやって手に入れたらいいのでしょうか。お金で買えないものは、どこから僕らのもとにやってくるのでしょうか？

プレゼントの謎

そもそも、どうして私たちは互いにプレゼントを贈り合うのでしょうか。

誕生日、クリスマス、バレンタインデー、母の日、父の日、あるいは何かの記念日。ほしいものがあるなら各々が自分で買えばいいのに、なぜか私たちはプレゼントという慣習を持っています。

プレゼントという慣習の理由。

それは、誰かからプレゼントとして手渡された瞬間に、「モノ」がモノでなくなるからです。

もし自分で買ってしまったら、どれほど高価なものであっても、それはあくまでも「モノ」としての存在を超え出ることができません。

どういうことか。

親しい人から誕生日に腕時計をプレゼントされたとしましょう。その腕時計がどこかのお店で購入されたものならば、それ自体はただの「モノ」にすぎません。この世界にただ一つしかない特別な時計などではなく、他の誰でも対価さえ支払えば購入できる、交換可能な「商品」でしかありません。

ところが、その腕時計が「贈り物」として手渡された瞬間、事態は一変します。

たとえば、その時計を壊してしまったり、あるいは無くしてしまったりしたとき、僕らは何を感じるでしょうか。

もらった相手にその事実を隠したまま、同じモノを自分で購入してそしらぬ顔でやり過ごす、というようなことはしないと思います。多くの人は、相手に対して申し訳ないと感じたり、「なんでもっと丁寧に扱わなかったんだろう」とひどく後悔したり、落としたと思われる場所まで探しに行ったりするはずです。他人からすれば「たかが時計だろ？　何十万円もするものでもないし」と思っても、本人にとっては非常にショッキングな出来事です。

もし仮に、まったく同じ型の時計をこっそり購入して、相手にそのことを黙ったままやり過ごすとしたら、僕らの多くはその後ろめたさに耐えられないはずです。

プレゼントされた時計も、無くした後に自分で購入した時計も、モノとしては等価なはずなのに、僕らはどうしてもそうは思うことができません。そこには、モノとしての価値、つまり商品としての価値からはみ出す何かがあると無意識に感じるのです。商品価値、市場価値には回収できない「余剰」を帯びると言ってもいいかもしれません。そしてその余剰が、単なる商品だったその腕時計に唯一無二性、言い換えれば固有名を与えることになるのです。

重要なのは、「その余剰分を自分自身では買うことができない」という点です。なぜなら、その余剰は誰かから贈られた瞬間に初めてこの世界に立ち現れるものだからです。

モノは、誰かから贈られた瞬間に、この世界にたった一つしかない特別な存在へと変貌します。贈与とは、モノを「モノではないもの」へと変換させる創造的行為に他ならないのです。

だから僕らは、他者から贈与されることでしか、本当に大切なものを手にすることができないのです。


「自分へのご褒美《ほうび》」という言葉の空虚さの理由がここにあります。

ご褒美は本来、誰かから与えられるものです。だからそれは買うことのできないもの、すなわち贈与なのです。

贈与が嫌いな経済学者

マイケル・サンデルは「経済学者は贈り物が好きではない。より正確に言えば、合理的な社会的慣行としての贈り物の意味を理解するのに苦労している」と述べています（『それをお金で買いますか』、１４６頁）。

経済学的視点に立てば、プレゼントを買ってはならない、現金を渡すべきだと結論づけられてしまいます。それは以下のような市場の論理から導かれるものです。

「人は一般に、自分の好みを最もよく知っている」という前提を認めるならば、他人がプレゼントを購入して渡した場合、支払った金額と同額のものを受取人自身が購入した場合よりも効用が必ず小さくなる。そして、そこに「プレゼントの目的は、その受取人を幸せにすること（受取人の効用を最大化すること）である」という前提を付け加えるならば、プレゼントを買って渡すのではなく、使うはずだった現金を渡すべきであるということになる。

もらって困るもの、気持ちはありがたいが正直いらないものをプレゼントされることはたしかにあります。ですが、「正しいプレゼント、つまりプレゼントの正解は現金である」という主張は僕らの直感に反します。やはり贈与には、市場価値には回収できない何らかの余剰が隠されていると感じるはずです。

またサンデルは、お金で買えないものとして、「ノーベル賞」を挙げています。

> たとえば、ノーベル委員会が毎年一つのノーベル賞を競売にかけるとしても、買われた賞は本物とは違うだろう。こうした市場取引は、ノーベル賞に価値をもたらす善を消し去ってしまう。ノーベル賞は名誉を表す善だからだ。それをお金で買ってしまえば、手に入れたいと思っている善は台無しになる。
>
> （『それをお金で買いますか』、140頁）

サンデルは「善」と表現していますが、これも贈与によってもたらされる余剰の一形態です。そして、その余剰は買った瞬間にどこかへ消えてしまうのです。

当たり前ですが、ノーベル賞は買うものではありません。それは授与されるもの、贈られるものです。

お金で買えないものは、贈与として僕らのもとへやってくる。

お金で買えないものの一切は、誰かから手渡されることによって、僕らの目の前に立ち現れる。

「祝う」と「祝われる」、どちらがうれしいか

さて、贈与の不可解な点はまだあります。

それは、贈り物はもらうだけでなく、贈る側、つまり差出人になることのほうが時として喜びが大きいという点にあります。

たしかに、自分の誕生日を誰にも祝ってもらえないとしたら寂しい。でもそれ以上に、もし自分に「誕生日を祝ってあげる大切な人」「お祝いさせてくれる人」がいなかったとしたら、もっと寂しい。

なぜもらうことよりも、あげることのほうがうれしいのでしょうか。

なぜ自分が祝われる以上に、誰かを祝うことが自身の喜びになるのか？

恋愛の場面が一番分かりやすいと思いますが、気になる相手に何かプレゼントを渡そうとしたとき、受け取ってもらえないという悲劇が起こることがあります。

贈与の受取の拒否。

それは何を意味するかというと、関係性の拒否です。つまり「私はあなたと特別なつながりを持つつもりはない」という宣言となります。

なぜ贈与がつながりを生み出すかというと、贈与には必ず返礼が後続するからです。

「この前もらったお礼に……」

そのお礼はまたお礼を促《うなが》します。そして、その返礼は再び贈与として相手に手渡され、さらに再返礼、再々返礼……と、その関係性は「贈与の応酬」に変貌します。

つまり、贈与を受け取ってくれるということは、その相手がこちらと何らかの関係性、つまり「つながり」を持つことを受け入れてくれたことを意味します。

こちらの好意や善意は、必ずしも相手に受け入れられるとは限りません。

だから、プレゼントを受け取ってくれたり、こちらの祝福を受け入れてくれたりしたとき、僕らはうれしく感じるのです。

なぜ親は孫がほしいのか

僕が実家で過ごしていた、ある年の正月のこと。

還暦を過ぎた母に何気なく「運動のために犬でも飼ったら？　プレゼントしようか？」と言うと、間髪をいれずにこう言い返されてしまいました。

「犬よりも孫がほしい」

母の、居合のような切り返しに思わず閉口してしまいました。とは言え、「耳が痛い」というよりもむしろ好奇心のほうが勝ったのを覚えています。なるほど、親は子に向かって「孫が見たい」と本当に言うのだな、と。

それまで僕は、この類の言葉を口にするのはドラマや映画、小説の登場人物だけだと思っていました。

僕の実家は、別に保守的な家柄ではありません。「長男が家と墓を継《つ》げ」といったプレッシャーを感じたことは一度もありません。むしろ僕はリベラルな環境で育てられました。そんな僕の母親まで、まるで判を押したかのようにこのセリフを口にするとは思いもしませんでした。

それと同時に、ここで僕は何らかの重要な場面に立ち会っているような気がしてきました。ある種の通過儀礼というか、人類学的に考察可能な局面に居合わせているという予感です。

なぜなら、母のその言葉があまりにも定型的だったからです。「構造的」と言ってもいいかもしれません。母の人格や自由意思とは無関係に、「ある一定の年齢を超えた子を持つ親」という時限的なポジションによって構造的に強制された力学が、ここには働いているような気がしたのです。

なぜ親というのは、こうも孫の顔が見たい人たちなのでしょう？

彼らの価値観を「結婚するのもしないのも、子を持つのも持たないのも当人の自由だ」「古い価値観を押しつけるな」と切り捨てるのはかんたんです。

ですが、こういうふうに問いを立ててみると、世界をより深く理解できることがありますーー。

一見不合理なこの「定型性」を合理的なものとして理解するためには、どのような仮説が考えられるのか？　と。

「無償の愛」という誤解

親は、愛という形で子に贈与をします（＊）。特に子供が小さいうちは、さまざまな世話をし、四六時中配慮して養育します。もちろん、学費などの金銭的な負担もあります。

では、はたして親は、経済学的な理由（＝合理的な理由）から子を育てるのでしょうか。「老後の面倒を見てもらおう」とか「今からプログラミングを習わせておけば、給料のよい仕事につけるはずだから、将来は親の私も金に困らないはずだ」などと見返りを期待して子を育てる親はおそらくいないはずです。

つまり、親が子を育てるのは一方的な贈与です。見返りを求めない、いわゆる無償の愛です。

けれども、「無償の愛」という表現には、誤解が含まれています。

どういうことか。

贈与の宛先である子供からの見返りを期待しない、という点では正しい。

ですが、無から生まれる愛、というのは誤解です。

あるコミュニケーション（言語的なものだけでなく、モノを介したやりとり、手助けしてもらう、他者を頼るなどの「行為」も含みます）が贈与であるならば、そこには先行する贈与がありま
す。その「私は受け取ってしまった」という被贈与感、つまり「負い目」に起動されて、贈与は次々と渡されていきます。

親の無償の愛の以前に、何があるか。

それは、そのまた親（子から見れば祖父母）からの無償の愛です。


無償の愛は必ず「前史」＝プレヒストリーを持っています。

それは、愛以前の愛、贈与以前の贈与と言うこともできます。

親もまた、その親から、容姿が優れているとか才能があるとか、あるいは経済学的メリットといった「愛されるべき根拠」を欠いたまま育てられたのです。

「私には育ててもらえるだけの根拠も理由もない。にもかかわらず、十全に愛されてしま

＊以下の議論はあえて「親子愛」といったものを無批判に単純化しています。これは、経済学や物理学などにおける、理論モデルを立てるための「理想化」と同様です。

った」、つまり「不当に愛されてしまった」という自覚、気づき、あるいはその感覚が、子に「負債」を負わせます（もしそこに確固たる理由があるならば、それは愛でも贈与でもなく、ただの「等価交換」です）。

それゆえ、意識的か無意識的かを問わず、負い目を相殺《そうさい》するための返礼、つまり「反対給付の義務」が子の内側に生じます。

反対給付の義務に衝《つ》き動かされた、返礼の相手が異なる（つまり恩「返し」ではない）贈与。これこそが「無償の愛」の正体です。

したがって、無償の愛にはある不安が付きまといます。親は子を育てながら、常にこの不安を携えています。

「私の愛は正しかったのか？」

それはつまりこういう疑念です。

「私もまた、親に愛されて育ってしまった。私はその贈与を正しく自分の子に渡せたのか？」

子がすこやかに成長することを通して、親は自身の贈与が意味あるものだったと一応は納得できます。

ですが、人間は社会的な存在でもあります。身体的な成長というだけではなく、精神的な成長にいたったか否かが贈与をうまく渡せたか否かの指標となります。

それゆえ、子が自立するまで、親は反対給付の義務のただ中にいることになります。

では、親は何をもって自分の愛の正当性を確認できるのでしょうか。

子がふたたび他者を愛することのできる主体になったことによってです。

私の贈与は正しく完了したのか？　それは、贈与の宛先である子がふたたび贈与主体となるという事実を通して初めて完了したと認識できるのです。


「私の愛は正しかったのか？」

「私の出したパスは、正しく受け取ってもらえただろうか？」


つまり、親としての過去のあらゆる行為の意味づけが保留されたままなのです。この疑念が親に「孫が見たい」と言わせるのです。

この見解は僕のオリジナルではありません。かのカール・マルクスがそのように論じています。

> もし君が相手の愛を呼びおこすことなく愛するなら、すなわち、もし君の愛が愛

として相手の愛を生み出さなければ、もし君が愛しつつある人間としての君の生命発現を通じて、自分を愛されている人間としないならば、そのとき君の愛は無力であり、一つの不幸である。

（『経済学・哲学草稿』、187頁、強調は原文）

マルクスの言葉を「贈与」に置き換えるとこうなります。

「贈与は、贈与を生まなければ無力である」

（ところで、ここまでの議論から、「なぜ祖父母は孫を溺愛《できあい》するのか」も理解できます。祖父母にとって、孫は贈与の義務から解放された対象です。厳格な「父」が孫を抱いた瞬間、柔和な「おじいちゃん」に一変する——という現象は、義務を果たしたことからくる余裕によるのかもしれません。）

映画「ペイ・フォワード」にみる贈与の困難さ

「親の愛」に端的に見られるように、贈与は市場における「金銭的交換」とはまったく異なる性質を持っています。簡単にいうと、市場での交換は「さっぱり」しているのです。それは等価交換が1ターンで瞬時に終わるからです。

そして、交換は誰とでもできます。というよりも、相手が誰であってもいいのです。対価さえちゃんと払えるのならば。

コンビニを見てください。コンビニの店員は相手が小学生であってもマニュアル通り、「敬語」で接客します（僕は一度だけその貴重な場面を目撃したことがあります）。「相手が誰であろうと関係ない」という姿勢が、そうする必要がない相手にすら敬語で接するという所作に示されています。

そこには「この客には支払い能力がある」という「信用」はありますが、「信頼」はありません。「この前、これを買ってくれたから、お礼にこれをどうぞ」という返礼はそこにはありません。他者とのつながりを生み出さないからこそ、交換はどこでも誰とでもできるのです。さっぱりしているとはそういうことです。

それに対して、贈与はすぐには完結しませんし、相手が誰でもいいわけではありません。親子間の贈与で言えば、子が他者を愛せる人間となったとき、贈与の受け渡しがやっと完了するのです。しかも、その子の愛が愛であるならば、その愛を受け取ることのできた相手は、また誰かに贈与を行うはずです。

交換は1ターンで終わるが、贈与は対流する。

では、「交換」には回収されない贈与の構造とは一体何なのか。

それを突きとめるために、「ペイ・フォワード」というアメリカ映画（ミミ・レダー監督、２０００年）を観ることにしましょう。

「ペイ・フォワード」は贈与を理解するための格好の題材です。この映画のストーリー全体を考察することで、僕らは贈与の力学を極めてクリアーに把握できます。

ですが、この映画は、実は贈与の物語ではありません。贈与の失敗の物語なのです。つまり、贈与の本質的困難さを描いた映画なのです。

贈与の「起源」をたどれ

物語の狂言回しである新聞記者クリスが、とある事件現場に駆けつける場面で、この映画は幕を開けます。逃走する犯人の車にぶつけられ、クリスの車は大破してしまいます。呆然《ぼうぜん》としているクリスに、一人の紳士が声をかけます。彼はいきなりクリスに向かって車の鍵を投げて渡します。

それは、路肩に停められていた、紳士が所有する新車のジャガーの鍵でした。

訳が分からず、訝《いぶか》るクリスに、紳士はこう言い放って立ち去ります。

「赤の他人からの善意だ」

それから数日後。クリスは紳士のもとを訪ね、記者の性分も手伝って、真意を聞き出そうとします。

紳士が語ったのはこんな過去でした。娘が喘息《ぜんそく》の発作を起こし、救命救急に連れて行ったものの、一向に処置の順番が回ってきません。症状が悪化する娘のかたわらで苛立《いらだ》ちと不安を募らせていると、腕に怪我をしていたひとりの男性患者が、「自分の処置はいいからこの娘さんを先に見てやれ」と順番を譲ってくれたといいます。

お礼がしたいと言う紳士に、男性はこう告げます。

「お礼はいいから、次へ渡しなさい（Pay it forward）」

自分ではなく誰か別の３人に「善い行い」をすることで恩を返すように。そう伝えたというのです。

紳士からこの話を聞いたクリスは、次にその順番を譲った男性患者を訪ねます。

彼に誰からペイ・フォワードされたのかを聞き出し、そのまた贈与の主を訪ねる……というように、クリスは先行する贈与者を順に突き止め、「次の３人に渡せと最初に告げた人物」まで贈与の流れをさかのぼっていきます。

その最初の人物こそ、この映画の主人公であるトレバー少年でした。

トレバーは、社会科教師シモネットの授業で与えられた、「世界を変える方法を考え、それを実行してみよう」という課題に対して、善い行いを受けたら３人にパスをするという「ペイ・フォワード運動」を思いつき、それを実行したのでした。

少しずつ確実に町中に「贈与のフロー」が広がっていくさまが描かれるこの物語は、意外な、そしてショッキングな結末を迎えます。

ようやくトレバー少年にたどり着いたクリスは、トレバーの学校を訪れ、彼にインタビューを行います。その直後、トレバーは友人が同級生からいじめられているのを止めに入ろうとして、加害者生徒のナイフがはずみで刺さってしまい、命を落とすのです。

トレバーのインタビューがテレビで放送され、そして彼が亡くなったというニュースが流れます。

トレバーの家で悲しみにくれる母親とシモネット先生。彼らがふと窓の外を見やると、そこにはロウソクに火をともし、トレバーの死を悼《いた》むために家の前に集まった大勢の群衆――おそらくペイ・フォワードを受け取ったであろう人びと――の姿がありました。そんなシーンで映画は幕を閉じます。

この結末は、贈与論的に考えたとき極めて正しいものだと僕は考えます。

贈与の起点となった少年が命を落とすという悲劇。

これは、単に物語を盛り上げるための仕掛けではありません。ましてや「善意は必ずしも報われない」だとか「人のために何かをするというのは手放しで素晴らしいことだ」といった凡庸な教訓を引き出すためでもありません。

贈与の構造を考えれば、この結末にならざるを得なかったのです。

どういうことか?

受け取ることなく贈与した者の悲劇

なぜトレバーは命を落とさなければならなかったのか。

この映画には、結末を暗示するような場面がいくつかあります。

ある時、シモネット先生はトレバーにこう尋ねます。

「世界は君に何を期待している?」

するとトレバーは答えます。

「何も」

その返答のためらいの無さに、先生は言葉に詰まります。

期待されている側にとってみれば、期待とはすなわち果たすべき責任です。トレバーは、世界に対して自分には何の責任もない、と宣言したことになります。

言い換えれば、私は世界から何も付託されていない、負い目は無いということです。

それは、私は何の贈与も受け取っていない、という言葉と同義です。

実はそうなのです。

トレバーの境遇は恵まれたものではありません。母親は、実はアルコール依存症をかかえています。家を出た父親からはＤＶを受けていたことが示唆されており、トレバーは彼が戻ってくるのではないかと怯《おび》えています。

学校では友人がいじめにあっています。そして学校の帰り道にはホームレスたちの住みかがあり、彼らの生活ぶりを目の当たりにしています。

なぜペイ・フォワードという仕組みを思いついたのかとシモネット先生に問われたときも、トレバーは答えます。

「何もかも最悪だから」

トレバーは、柔らかな毛布に包まれるような愛を知らずに育ちました。彼は、少なくとも本人の主観的には、贈与を受け取ったという実感を持つことができていません。

ここがこの物語の結末の謎を解くポイントです。

なぜトレバーは殺されなくてはならなかったのか。

それは、彼が贈与を受け取ることなく贈与を開始してしまったからです。

つまり、贈与を受け取ってしまったという負い目に駆動されることなく、自らがすべての起点となって贈与を始めてしまったからなのです。

神学者アクィナスの「不動の動者」

キリスト教神学に「不動の動者」という概念があります。

神学者であり哲学者でもあったトマス・アクィナスは次のような「神の存在証明」を提示しました。

世界のあらゆる出来事には必ずそれを発生させた原因がある。それゆえ、ある出来事Ａにはその原因である出来事Ｂがある。そしてＢもまたこの世界の出来事なのだから原因Ｃを持つ。以下同様に、原因の原因の原因のそのまた原因の……と、因果連鎖をどこまでも無限にさかのぼっていくことができるはずである。

しかし、世界は無限ではない。因果連鎖はどこかで、それ以上さかのぼれなくなるはずである。するとその因果の遡行《そこう》の終着点には、何かの結果でもなく、他から一切影響を受けることもなく、つまり、一切の原因を持たずに、かつ世界のすべての出来事を引き起こすことのできる究極的な原因が存在しなければならない。それが不動の動者であり、神である――。こんな議論です。

トレバーは一連の贈与の系譜の中で、極めて特異なポジションを占めています。彼はペイ・フォワードにおける「不動の動者」です。記者のクリスはペイ・フォワードの系譜をさかのぼって一人ひとり取材していきますが、トレバーにたどり着くと、それ以上さかのぼれなくなります。

トレバーには、贈与を起動するだけの「被贈与の負い目」がありません。それでは、贈与のフローを生み出す力が存在しない。それゆえ、力の空白を埋め合わせなければなりません。それこそがトレバーの命だったのです。

この映画で描かれているトレバーには、俗っぽい欲望がありません。人から褒められたい、認められたいといった感情を持ちません。彼にあるのは、「何もかもが最悪」なこの世界を少しでも良きものに変えたいという、あまりにもピュアな動機だけです。ピュアすぎると言ってもいい。

僕はどうしても、そんなトレバーに一種の「聖性」を見てしまいます。負い目とは一種の「罪」によるものです。不当に受け取ってしまったという罪の意識、罪の感覚です。それが僕らに贈与を促します。ですが、トレバーにはその罪がないのです。罪を背負わない聖なる存在——。それがトレバーなのです。

先ほど、僕は、この映画は贈与の失敗の物語だと述べました。

これまでの議論を通して、もう少し正確な言い方が可能になりました。

贈与の物語でなかったのなら、「ペイ・フォワード」は一体何の物語だったのか。

それは供犠（sacrifice）の物語だったのです。

トレバーは自分の命を犠牲にし、捧げることによって、この世界に良きものを代わりに与えた。そういう物語だったのです。

残念ながら、これは贈与ではありません。供犠という形式の「交換」です。

被贈与という「元手」を持たないトレバーは未来（つまり自分の命）と引き換えに、他者へと善意のパスを渡したのです。


裏を返すと、聖人ならぬ俗人の僕らには、受け取った贈与に気づき、その負い目を引き受け、その負い目に衝き動かされて、また別の人へと返礼としての贈与をつなぐことしかできないのです。

つまり、被贈与の気づきこそがすべての始まりなのです。贈与の流れに参入するにはそれしかありません。

だから、もしトレバーが誰かから何の合理的根拠もなく恩や愛を受け取り、それを痛いほど理解して、こう宣言することができたなら、きっと彼は死なずに済んだはずです。

「ペイ・フォワードは僕が始めたわけじゃない。ペイ・フォワードはずっと続いている」と。


映画「ペイ・フォワード」から得られる教訓、それは「贈与は受け取ることなく開始することはできない」というものでした。そして、これが贈与の原理の一つです。

贈与、偽善、自己犠牲

お金で買えないものが贈与である以上、与えた側はそこに見返りを求めることはできません。もし何らかの対価を求めるのであれば、それは経済学的に計算可能な「交換」となります。

これをあげるから、それをくれ。
これをしてあげるから、それをしてくれ。
これは等価交換であり、計算可能です。
それに対し、贈与は計算不可能なのです。

「私」がこれを「誰か」に与えると意識したとたんに、「与える私」、「受け取る他人」、「与えられるもの」についてなんらかの「計算的思考」が働く。たとえば、私はかわいそうな他人に何かを与えて彼を喜ばせてあげているのだ、そうすることで私はある種の満足を得ているのだと感じる。このとき、人は快楽と満足を事実上は「計算」しているのであり、その瞬間に快楽ないし満足を見返りとして手に入れているのである。

（今村仁司『交易する人間』、１１４頁）

計算可能な贈与（というのはもはや贈与ではないのですが）には、別の名が与えられています。

いわゆる「偽善」です。

たとえば、ボランティア活動に参加しようと思っている人が往々にして抱くのは、「他人から偽善者だと思われてしまうのではないか」という不安です。

この場合のポイントは、それが自分の未来の利益を見込んでのボランティアなのか、それとも過去の負い目への反対給付なのか、です。

ボランティアをすることで人からよく思われたい、褒められたい、誰かに貢献することで自分が満足したい、という目的が透けて見える行為を、人は偽善と感じるのです。

それは残念ながら贈与ではありません。金銭的ではない形の「交換」です。

また、目上の人に対する態度も、同様に二つに分けられます。

先行する贈与に対する返礼であれば「恩に報《むく》いる」「忠義を尽くす」などと呼ばれ、未来の利益のための先行投資であれば「媚《こ》びを売る」「権力におもねる」となり、同じ振る舞いであってもまったく異なる行為となります。

正確には、そのような自己利益を見込んでの行為なのにもかかわらず本人の主観的には純粋な善意による一方的な贈与であると装うことを、僕らは偽善と呼ぶのです（そして、僕らはその違いを鋭敏に察知し、その相手が信頼できるか否かを瞬時に判定します）。

彼らの合言葉は「お前のことを思って言っているんだよ」という呪いの言葉です。

未来の利益の回収を予定している贈与は贈与ではなく、「渡す」「受け取る」の間に時間差があるただの交換であり、打算にもとづく行為です。なぜ偽善かというと、それは等価交換を贈与だと言い張るからです。それを「自己欺瞞《ぎまん》」といいます。

プレヒストリーにもとづく返礼としての贈与であるならば、他人に何を言われようがやりたいようにやればいい。

そして、プレヒストリーなき贈与は必ず疲弊します。トレバー少年がそうなったように、その贈与は悲劇を生みます。それを「自己犠牲」といいます。

多くの人が贈与を恐れる理由はおそらくここにあります。見返りを求めない贈与は自己犠牲ではないのか、と。「誰かのために尽くしたり、献身的になることはたしかに美徳かもしれない。だが、それでは自分がどんどん疲弊していくだけではないのか？」というような恐れです。

ですが、すでに受け取ったものに対する返礼であるのならば、それは自己犠牲にはなりません（この点については第9章で再び論じます）。

それが過去の負い目にもとづくものであるならば、それは正しく贈与になるだけの力があるはずです。

結局、贈与になるか偽善になるか、あるいは自己犠牲になるかは、それ以前に贈与をすでに受け取っているか否かによるのです。

贈与は、受け取ることなく開始することはできない。

贈与は返礼として始まる。

親の愛に関する考察、および「ペイ・フォワード」に示される贈与の構造から見えてくるのは、そのような贈与の力学です。

贈与は必ずプレヒストリーを持つ。

議論の出発点はここにあります。

第2章　ギブ&テイクの限界点

「他人様に迷惑をかけてはいけない」
54歳のその男性は、幼いころから父親にそう教えられて育ったという。男性は同居している両親を養っていたが、父親が他界。ほどなく母親に認知症の症状が出始める。追い打ちをかけるように、勤めていた会社でリストラに遭い、一家は生活費にも事欠くように。どうにか派遣の職を得たものの、母親の症状が急激に悪化。仕事を辞めざるを得なくなり、失業給付を受けることに。生活保護の相談のため訪れた区役所の窓口では「がんばって働いてください」と言われるだけ。失業給付も残りわずかとなり、家賃も払えなくなる。男性は観念する。他人様に迷惑はかけられない、もう死ぬしかない、と……。

貧困問題に取り組む活動家、湯浅誠の『反貧困』に出てくる実話です。男性は生活に困窮した結果、同居していた86歳の母親を殺《あや》め、自らも自殺を図ります。

肉親の扶養と介護、リストラ、生活保護の不認可。

日々ニュースなどで目にする、今日では決して珍しくないトピックかもしれません。

ですが、この事例は注目に値します。

一見ありふれているこの悲劇の中に、実は「交換の論理」が隠されているからです。

では、交換の論理とは何か？

助けてあげる。で、あなたは私に何をしてくれるの？


子供のころ、僕らは誰とでも友人になることができました。

たまたま教室で席が隣になったというだけで、たまたま好きなミュージシャンが一緒だったというだけで、僕らは無邪気に友人になることができました。

それなのに、大人になると、新しい友人を作ることが難しくなってしまいます。


どうして「仕事上の知り合い」とは友人関係になりにくいのでしょう？

それは、互いを手段として扱うからです。


「ビジネスパートナー」という言葉がありますが、これはあくまで利害が一致している限りでの関係や、共通の目的を持った者同士の（一時的な）協力関係を指します。逆に言えば、相手が使い物にならなくなった場合や目的を果たした後は、助ける義理はない、というドライな関係に他なりません。

ビジネスの文脈では、相手に何かをしてほしかったら、対価を差し出すしかありません。相手が認める対価を持ち合わせていなかったり、「借りを返す」見込みが薄い場合などでは、協力や援助を取りつけることは難しくなります。

だから大人になると、ギブ＆テイクの関係、ウィン‐ウィンの関係（交換的なつながり）以外のつながりを持つことが難しくなるのです。

「助けてあげる。で、あなたは私に何をしてくれるの？」

これがギブ＆テイクの論理を生きる人間のドグマです。

要するに「割に合うか合わないか」で物事を判断する態度です。

割に合うなら助けるし、仲良くする。割に合わないなら、縁を切る。

他人を「手段」として遇する態度です。

問題は、僕らは、自分のことを手段として扱おうとして近づいてくる人を信頼することができないことです。

親切にされればされるほど、何か裏がある、打算があるはずだと感じてしまう。

「割に合うかどうか」という観点のみにもとづいて物事の正否を判断する思考法を、「交換の論理」と呼びたいと思います。

「努力は報われる／報われない」という視点ですら、交換の論理の一部をなしています。

努力という支払いに見合う報酬があるのかないのかという発想自体が、すでに交換の論理に根差しているのです。

交換の論理は「差し出すもの」とその「見返り」が等価であるようなやり取りを志向し、貸し借り無しのフラットな関係を求めます。ですから、交換の論理を生きる人は打算的にならざるを得ません。

それゆえ、交換の論理を生きる人間は、他人を「手段」として扱ってしまいます。

そして、彼らの言動や行為には「お前の代わりは他にいくらでもいる」というメッセージが透けて見えます。なぜなら、この〈私〉はあくまでも利益という目的に対する手段でしかないからです。

だから信頼できないのです。

つまり、贈与が無くなった世界（交換が支配的な社会）には、信頼関係が存在しない。

裏を返せば、信頼は贈与の中からしか生じないということです。

だとすると、交換的な人間関係しか構築してこなかった人は、そのあとどうなるのか？

周囲に贈与的な人がおらず、また自分自身が贈与主体でない場合、僕らは簡単に孤立してしまいます。

僕らが仕事を失うことを恐れるのは、経済的な理由だけではありません。

仕事を失うことがそのまま他者とのつながりの喪失を意味するがゆえに恐れるのです。

仕事を失い、かつ頼れる家族や友人知人などがいない場合、僕らは簡単に孤立する。

交換のロジックの「速さ」

冒頭の事例に話を戻します。

さきほど、この事件は注目に値すると述べました。

どの部分が注目に値するかというと、「他人様に迷惑はかけられない。もう死ぬしかない」という二つの文をつなぐロジックの速さです。

普通に考えれば、この思考は明らかに飛躍しています。ロジカルにはつなぐことのできない2文なはずなのですが、この男性は「迷惑をかけてはならない」という前提と自身の困窮の状態から、「死ぬしかない」という結論を直《ただ》ちに導いてしまったのです。

これこそ「交換の論理」の究極の形に他なりません。「死ぬしかない」は、まさに交換の論理が導く帰結なのです。

交換の論理、つまりギブ&テイクやウィン - ウィンの論理は、「交換するものを持たないとき、あるいは、交換することができなくなったとき、そのつながりを解消する」ことを要求します。そしてそのつながりが「社会とのつながり」だった場合、社会とのつながりの切断とは社会の「外」へ行くこと、つまり「死ぬしかない」ということになります。だから、おそらくその男性にとっては「もう死ぬしかない」という選択肢以外は用意されていなかった。それは検討する余地のない、自明な結論だったのでしょう。

「他人様に迷惑はかけられない」と「もう死ぬしかない」。この2文の間に、どうして何か、他の手立てが入らなかったのでしょうか？

実は、今僕が立てた右の問いを「たしかにそうだ」と思ったのなら、あなたもすでに交換の論理に絡めとられています。

問題は「他人に迷惑はかけられない」という前提の部分です。

そもそも、僕らがつながりを必要とするのは、まさに交換することができなくなったときなのではないでしょうか。

僕らが困窮し、思わず誰かに助けを求めるとき、交換するものを持ち合わせていないからこそ「助けて」と声にするのではないでしょうか。

仮に、もし交換するもの（金銭や労働力、あるいは能力や才能）を持っているなら、そもそも「助けて」と声をあげる必要はありません。あるいは、金銭的余裕があり健康状態や年齢が一定の基準を満たしていれば、「保険」に加入してリスクヘッジすることもできます。

だとするならばこうなります。

交換の論理を採用している社会、つまり贈与を失った社会では、誰かに向かって「助けて」と乞うことが原理的にできなくなる。

何も持たない状況では、誰かを頼り、誰かに助けを求めることが原理的に不可能なのです。

ゲームから一度降りてしまったら、二度とそのゲームには戻ることができないというルールがゲームの中に存在しているのです。交換の論理を支持するゲームは、このようなタイトな規定のあるゲームなのです。

「甘える」と「頼る」は違う、という主旨のツイートを見かけたことがあります。いわく、甘えるというのは、本当は自分でできることを他人に頼むという意味であり、頼るというのは自分ではできないことを他人に頼むことを意味する、と。

素敵な定義だと思います。

何が言いたいかというと、「助けて」という声は甘えではないということです。

経済的、精神的、肉体的に追い詰められたとき、僕らは誰かを頼り、頼られるのです。

しかし、交換の論理はそれを拒否する――。

さて、ここからは『反貧困』には書かれていませんので、あくまで推測になります。

その男性にもきっと知り合いや親戚の一人くらいはいたはずです。しかし彼は、その人たちに頼らなかった。

それは、「助けてあげる。で、あなたは私に何をしてくれるの?」という反応が返ってくることをどこかで恐れていたからではないでしょうか。そして、もしそう反応されてしまったら、彼は「差し出せるものは何もない」と答えるしかなかった。

もちろん、この事例は生活保護行政や社会保障上の脆弱《ぜいじゃく》さ（あるいは「自己責任論」）の文脈で議論すべき問題です。しかしもし、この男性に家族以外の何らかの「贈与的なつながり」があったならば、違う結末になったのではないかと僕は考えてしまうのです。

「自由な社会」の正体

ひとりでも生きていけるというのは、とてもよいことのように思えます。

「誰にも依存せずに、きちんとひとりで生きていける人」、それが大人の条件だ、と言われたら、たしかにそうだ、と納得しそうになります。

ですが、誰にも迷惑をかけない社会とは、定義上、自分の存在が誰からも必要とされない社会です。

その社会のすべてのメンバーが誰にも迷惑をかけないということは、誰からも迷惑をかけられることが一切無いという状況です。もちろん、ここでいう「迷惑」とは「助けること」「支援すること」「頼られること」です。

誰にも依存しないスタンドアローンな存在として生きていける主体だけから成る社会というのは、いざというときに助けてくれる他者を必要としません。その社会の中の誰一人、「いざというとき」をそもそも持ちえないのですから。

もし仮に、この社会のメンバー全員がそのような主体となったとき、というよりも、そのような主体でなければならないと強制されたとき、そもそもそれは「社会」と呼べるでしょうか。


誰にも頼ることのできない世界とは、誰からも頼りにされない世界となる。

僕らはこの数十年、そんな状態を「自由」と呼んできました。

頼りにされるというのはたしかにときに面倒くさい事態となります。僕らはそれを「しがらみ」や「依存」と呼んで、できる限り排除しようとしてきました。

その代わり、ありとあらゆるものを自前で買わなければならなくなりました。

いざというときに備えて、保険に入ったり、貯蓄をしたり。

なぜそれが備えになるかというと、生きるために何かを買い続けなければならないからです。誰にも迷惑をかけられることがないという自由を得るために、死ぬその瞬間まで一瞬たりとも休むことなく商品を買い続ける運命となりました。

資本主義というシステムに「資源の分配を市場に委《ゆだ》ねる」という側面があるのだとすれ

ば、資本主義は、ありとあらゆるものを「商品」へと変えようとする志向性を持ちます。

市場の拡大、資本の増殖。

そのためには、あらゆるものが「商品」でなければならない。

したがって、資本主義のシステムの内部では「金で買えないもの」はあってはならないことになります。資本主義を徹底し、完成させようとするのならば、僕らは金で買えないものを排除し続けなければなりません。

「金で買えないものはない」のではありません。そうではなく、「金で買えないものはあってはならない」という理念が正当なものとして承認される経済システムを資本主義というのです。

だからそのシステムの中では、あらゆるものが「商品」となり、あらゆる行為が「サービス」となり得る。その可能性を信じ切る態度を資本主義と呼ぶのです。

それは言い換えれば、もし仮に金で買えないものがあったとするならば、それは、「買えない」と思い込んでいる僕らのほうが間違っていると主張する立場のことです。だとするならば、資本主義とは経済システムのことではなく、一つの人間観です。

そして、その思想はたしかに「自由」と相性がいい。

あらゆるもの、あらゆる行為が商品となるならば、そこに競争を発生させることができ、購入という「選択」が可能になり、選択可能性という「自由」を手にすることができます。

ただし、その自由には条件があります。

——交換し続けることができるのであれば、という条件が。

インセンティブとサンクションの幻想

ボストンのある消防署。消防本部長は、月曜日と金曜日に、消防士たちの疑わしい病気欠勤が集中していることに気づいた。そこで彼は、有給病欠の年間上限を計15日までと設定し、上限を超えた消防士には減給を命じた。

その結果どうなったか。予想に反してクリスマスと元日の病欠連絡が、前年の10倍に増加してしまった。それに対し、消防本部長は今度はボーナスの一部の支給を取りやめることを決めた。すると消防士たちはそれを不快に思い、前年と比べて2倍以上の病欠日を申請することで応じた。

イスラエルのある託児所。この施設は、親たちが子供を迎えにくるのが遅いという問題に直面していた。そこで託児所は、遅刻する親たちに罰金を科すことにした。

するとどうなったか。予想に反して、親たちは遅刻回数を2倍にするという反応を見せた。

いずれも、サミュエル・ボウルズの『モラル・エコノミー』で取り上げられている事例です。

どちらのケースも、減給や罰金という金銭的サンクション（制裁）によって、逸脱行為や違反を減らそうと試みた結果、逆効果になってしまったという、たいへん興味深い事例です。

この二つの事例は交換の論理と関係しています。

なぜそんなことが起こったかというと、申し訳なさやうしろめたさを、金銭と交換させてしまったからです。金銭を払うことで負い目をチャラにできてしまったのです。

マイケル・サンデルは、同じ託児所の例を引いて、次のように述べています。

> 人々がインセンティブに反応していると仮定すれば、これは理解しがたい結果である。罰金によって、親が迎えに遅れるケースは、増えるどころか減るものと予想されるはずだ。では何が起きたのだろうか。お金を払わせることにしたせいで、規範が変わってしまったのだ。以前であれば、遅刻する親は後ろめたさを感じていた。保育士に迷惑をかけているからだ。いまでは迎えに遅れるあいだ子供を預ってもらうことを、自分が支払い意志を持つサービスだと考えていた。罰金をまるで料

金のように扱っていたのだ。保育士の善意に甘えているのではなく、お金を払って勤務時間を延ばしてもらっているだけなのである。

（『それをお金で買いますか』、98‐99頁、強調引用者）

ここで特に重要なのは、罰金を料金のように扱っていたというサンデルの指摘です。つまり、病欠と遅刻が「購入可能なもの」になってしまったのです。

僕らは、人はインセンティブ（報酬）によって行動し、サンクション（制裁）によって行動を抑制すると考えがちです。しかし、これらの事例が示すのは、そうとは限らない、というよりも、多くの場合でそうではないということです。

経済学的に考えれば、それは罰金額が低すぎるだけだ、もっと金額を増やせば違反は抑制できる、というのはたしかに正しい。交換の論理の要点は「割に合うか合わないか」でした。だから、違反によって得られる利益とそれに伴う罰金が割に合わなければ、つまり、損益分岐点を下回るならば、逸脱行為は防ぐことができるはずです。

しかし、社会や組織のあらゆる場面でインセンティブとサンクションが明示されたとしたら、そこでは僕らにとって何か重要なものが毀損《きそん》されてしまうのではないでしょうか？

新しい仕組みによって屈辱を受けたと感じた多くの消防士たちが、それを悪用するか、けがをしていたり、体調が優れないときでさえ、人々に奉仕をするという過去の倫理を捨て去ったりした。（…）消防士たちのクリスマスと元日での多数の病欠連絡は、彼らがお金への関心を失ったということを意味しない。もし消防本部長がより重い罰則を科したならば、たとえ消防士たちの怒りと不信が、結果として彼らの義務感を失わせたとしても、彼らはきっと節度を守ったであろう。経済的利害が人々に奉仕するという誇りに取って代わったのである。

しかし、これらのインセンティブと制約は限界をもつ。重い罰金や厳しい懲罰は、偽りの電話連絡を阻止するかもしれない。しかし、それらは消防士のプロ意識や勇気といった捉えにくく、より測定しにくい側面を動機づけるだろうか

（『モラル・エコノミー』、９-10頁、強調引用者）

右の引用にもあるように、倫理、義務感、誇り、プロ意識、勇気といった定量的に測ることのできない内的動機に基づいて、消防や教育という公共的な仕事はかろうじて成立しています。

これらの内的動機は、一言でまとめれば「責任」です。それも外から押しつけられた責任ではなく、自らが気づいた内なる責任の自覚です。もう少し強い言葉を使えば、「使

命」です。

また、「天職」とは、自分にとって効率的に稼ぐことのできる職業、職能ではありません。天職は英語では「calling」です。

誰かから呼ばれること。誰かの声を聴くこと。これが天職の原義です。

もちろん、西洋の考えでは、その声の主は神です。

ですが、その声には神ならぬ普通の誰かからの「助けて」という声も含まれているのではないでしょうか。

そして、たまたま自分には、その声に応じるだけの能力と機会があった。

それに気づいたとき、そこには責任（responsibility、応答可能性）が立ち現れます。

「自分にできること」と「自分のやりたいこと」が一致しただけでは天職とは言えません。第三の「自分がやらなければならない、と気づくこと」という要素、つまり使命の直覚が発生しなければならない。

天職の３分の１は、使命でできている。

callingという言葉はそれを教えてくれます。

交換の論理の手札であるインセンティブとサンクションは、その他者からの声、要請を無効にしてしまいます。声を聴くことができなくなってしまったら、責任の自覚、誰かから付託されているという感覚が消失してしまいます。

だから僕らは、金銭を目的にして仕事をしてしまったら、仕事の「やりがい」からどんどん遠ざかってしまうのです。

仕事のやりがいは、その仕事の贈与性によって規定されるのです。

それはまた、僕らが採用している教育、医療、消防、治安維持、公共衛生、政治などの社会システムが、交換の論理では基礎づけられないということを意味しています。

献血はコスパが悪い

今、若者の間で空前のボランティアブームが起こっている。

街や観光地での清掃活動、若者不足の地域での雪かき作業、介護施設でお年寄りと触れ合う活動など、安くない交通費を自己負担して参加する若者があとをたたないという。

しかしその一方で、同じく社会貢献であるはずの献血については「若者の献血離れ」がかつてない規模で進んでいる（『藤本耕平『つくし世代――「新しい若者」の価値観を読む』）。

「ボランティアブーム」と「献血離れ」の矛盾。

なぜ、献血は若者に人気がないのか？

藤本耕平の『つくし世代』に興味深い分析があります。この本では１９９２年に小学校に入学した人たちよりも若い世代を「若者」と定義しているのですが、人と直接かかわるタイプのボランティアが若者の間でブームになっている事象を取り上げています。一方で献血については、１９９４年と２０１１年を比較すると、20代では献血者数は半減し、10代では３分の１程度まで減っています。

なぜそのようなことが起こるのでしょうか。

献血は無償の善意であり、自身の血液を差し出すという、極めて贈与的な貢献です。にもかかわらず、そのような社会貢献活動は人気がない。

藤本は、その理由は「直接的なレスポンスが得やすいかどうか」にあるといいます。

言ってしまえば、献血はコストパフォーマンスが悪いということです。

どういうことか?

どうやら、自分の行為がどれくらい人の役に立っているのかが認識しにくいから積極的になれないということらしいのです。

ボランティアに参加する理由として、50代では「社会が良くなることがうれしい」といった回答が顕著になりますが、20代は「ありがとうと言われるのがうれしいから」「相手が喜んでいる顔が見たいから」、つまり感謝されたいからという理由が上位にくるといいます。

人助けの費用対効果。善意の費用対効果。

ここに矛盾があるような気がします。

「感謝というレスポンス」が直ちに返ってこないと贈与ができないというのは、もはや贈与ではありません。それは、贈与に見せかけた「交換」でしかありません。レスポンスがほしいとは、見返りを求めているということです。

もちろん、彼らは金銭的なインセンティブを見返りとして求めているわけではありません。

直接的なレスポンス、言い換えれば、目に見える形の「他者への影響」あるいは「効果」を求めていると言えます。

たしかにその気持ちも分かります。

現代の僕らは、自分自身が社会からの恩恵、つまり贈与を受け取っていると気づくことができない。特に献血というシステムのありがたみは自分が大けがをしたり、大きな手術をしたりした経験がなければ感じにくいものかもしれません。

だからこそ、贈与のパスを出すことができない。

そのパスには意味が無いと感じてしまうからです。

セカイ系の贈与

政治に関する意識調査の際に用いられる用語に、「政治的有効性感覚」があります。投票などの自分の政治的アクションがどれくらい社会を変えると感じるか、という指標です。これをもじって言うならば、どうやら今の若者は「贈与的有効性感覚」を強く感じる贈与には積極的だが、有効性感覚を感じにくいものには価値を感じにくくなっていると言えるでしょう。

ですが、それはもはや「セカイ系の贈与」とでも呼ぶべきものになってしまっています。

「セカイ系」とは、アニメや漫画に関するサブカルチャー論でしばしば言及される物語形式の一つです。主人公たちの「私とあなた」の行動が、社会や国家といった枠組みを介することなくダイレクトに世界の運命を決定する――というストーリーラインのことです。

私の一挙手一投足がこの世界を救う。

これがセカイ系の贈与のスローガンとなります。

しかし、第1章でも見た通り、贈与の意味が確定するまでにはかなりのタイムスパンを必要とします。また、贈与は時として受け取りを拒否されてしまうものでもあります。

現代を生きる僕らは「意味の欠如」を恐れます。無益と思えることを極端に避けようとします。

だからこそ、僕らの善意はセカイ系の贈与という形になってしまう。

しかし、それは贈与に見せかけた交換にすぎません。

交換の論理は、対価や金銭的見返りだけでなく、その交換の「意味」を、今すぐ今ここで求めます。自身の贈与の意味をその場で回収しようとするのです。

これは明らかに認知的な失敗です。

他者への影響は極めて小さいかもしれませんが、ゼロではありません。

無力と微力は違うはずなのに、微力は無力と見なされてしまう。

だから、これは想像力の問題なのです。

想像力が無ければ、贈与に関して認知的に失敗する。

セカイ系の贈与者は、微力のもたらす影響、そしてその微力の一切が社会から失われてしまうと何が起こるかを、想像することができません。

献血であっても、目の前に受取人がいるわけではありません。しかし差し出したその血液には、届けられるべき宛先がちゃんとあります。

見ず知らずの人という宛先を思い描く想像力が無ければ、自分の一挙手一投足を無駄で無益な徒労と感じてしまうのです。

それはすなわち、自分の贈与がどこかに届くのを待つことも、それに賭けることも不可能になりつつあるということです。

宛先に届くことを待つ、届くことに賭けるとは、つまり祈るということです。

僕らは交換の論理に慣れ親しみすぎたことで、贈与に祈りを込めることができなくなってしまった。

前に「努力が報われる／報われない」という発想自体がすでに交換の論理に根差していると述べました。努力に結果が伴うかは不確定で、やれるだけのことをやったのなら、あとは祈るだけです。

しかし、僕らは贈与が確実に宛先に届くに違いないと思い込むようになってしまった。

贈与は宛先に届かないかもしれない。

あるいは受取人が受け取っていることに気づいてくれないかもしれない――。

贈与にはそのような不安定な側面があります。この点については第4章で詳しく論じます。

63ページで、交換の論理ではこの社会システムを基礎づけることはできない、と述べました。

交換の論理に浸食され、行為の意味を無時間的に求め、「待つ」ことができなくなったとき、つまり、「贈与は必ず届く」と思い込んでしまったとき、破壊されるシステムがもう一つあります。

それは「家族」です。

贈与には人を結びつける力がある。第1章で見たように、贈与は特別なつながりを生み出す。

ここまではよい。

しかし、その力が暴走すると他者を縛りつける力へと転化する。

だから僕らは、他者とのつながりを求めながら、同時にそのつながりに疲れ果てる。

どういうことでしょうか？

第3章　贈与が「呪い」になるとき

強いつながり

贈与はつながりを作り出すことができます。

たとえば、「親友」あるいは「信頼できると思える人」は何人いますか？　と問われたとします（実際に何人くらいいるか、ちょっと考えてみてください）。

今、頭の中で友人たちや、かつてお世話になった人たちの顔が浮かんだはずです。

その人たちとの関係は、持ち出し分と等価な見返りを互いに要求するような「ギブ＆テイクの関係」でもなければ、双方にとって明示的なメリットのある「ウィン - ウィンの関係」でもありません。その友人が何かに悩んでいたり、困り果てていたら、親身になって相談に乗ってあげたい、なんとかして助けたいと素直に思えるはずです。

人間的なつながりは、本質的に贈与的なつながりとなります。

僕らは知らず知らずのうちに、贈与を通して他者とつながっている。

これは贈与の正の側面です。

しかし、物事には裏の側面、つまり負の側面があります。

贈与には人と人を結びつける力があるがゆえに、その力はときとして私を、そして他者を縛りつける力へと転化します。

端的に言うとこうなります。

贈与は時として、「呪い」として機能する。

その呪いの効果によって、僕らは、他者とのつながりを求めながら、同時にそのつながりに疲れ果てるのです。

なぜそんなことが起こるのか？

届いてしまった年賀状

「届いてしまった年賀状」を考えてみましょう。

去年もこちらからは送っていないのに、ポストを開けたら、その人からまた今年も年賀状が届いてしまった。

心のうちで「ああ、申し訳ないな」と思いながらも、同時に思わず「やれやれ……」とつぶやいてしまう。

この「やれやれ」という気分はどこからやってくるのでしょうか？

僕らは何かをもらったら、お返しをしないままでいるとどこか落ち着かない気持ちになります。

贈与は、差出人の意図にかかわらず、受取人に一方的な負い目を与える。

そして、その負い目がふたたび贈与を引き起こす。

ここまではいい。

しかし、もし、こちらにお返しをする心づもりが無かったり、返礼をする用意や準備ができていなかったり、あるいは返礼が原理的に不可能な場合、僕らはどうなるのでしょうか。

善意や好意を押しつけられると、僕らは呪いにかかる。

もちろん、その逆で、こちらから善意を押しつけてしまうと、相手をその関係性に縛りつけてしまう。

呪いとは「思考と行為の可動域」に制約をかけるものの総称です（だから僕らはしばしば自分自身にも呪いをかけてしまいます。たとえば不安や恐怖は思い込みを生み、思考が制限されてしまうことになります）。

他者の善意はときとして呪いとなる。

そう、僕らがつながりに疲れ果てるのは、相手が嫌な奴だからではありません。

「いい人」だから疲れ果てるのです。

いや、正確には「いい人だと偽る人」からのコミュニケーションによって疲れ果てるのです。

そして、ここに、贈与と交換の交錯地点があります。

「毒親」に悩んだ心理学者

ジークムント・フロイトの精神分析をもとに「唯幻論」を提示した岸田秀は、自身の経験と症例を踏まえて、「親からの呪い」を見事に分析しています。

岸田は子供のころ、「実際には金を借りていない友人から金を借りている」という観念が頭から離れず、その友人にその架空の借金を返さなければ気持ちが落ち着かないという強迫神経症に苦しんでいました。

ある時、たまたま買い求めたフロイトの本の中に、自分と同じように、借りていない金を返そうとする患者の例があるのを見つけます。その患者の原因は父親との関係でしたが、岸田少年の場合は母との関係が原因でした。

それは「子である自分のことを本当は愛していない母」という事実を隠蔽《いんぺい》し、そこから目を背《そむ》け、自分は母親から愛されているという虚構の物語を獲得するための、切ないまでの合理化の結果でした。

どういうことか?

母親は岸田にむりやり家業を継がせようとしていましたが、それ以外の点では、母は彼を十分にかわいがり、彼が無理な頼み事をしてもたいていは聞いてくれたといいます。その結果、岸田は「悪いのは母ではなく、家業を継ぎたくないと思ってしまっている自分のほうだ」と思い込むようになります。

わたしがわがままなのだ、こんなに尽くしてくれた母の苦労に報い、恩返しをしなければならない――。

しかし、そうは思ったものの、そこには罪悪感と抑鬱《よくうつ》感情とが入り混じった気分があることも感じていました。

そんな葛藤に苦しみ始めたとき、「借りていない金を借りてしまっている」という例の強迫観念に囚われ始めます。


しかし岸田少年は、母の愛情を疑うことに強い抵抗がありました。なぜなら、母の愛を疑うということは「母に愛されているということで成り立っているわたしの自我が崩れてしまう。おおげさに言えば、世界がひっくり返ってしまう」からです（『フロイドを読む』、21頁）。

「架空の借金」の正体

そこで、岸田少年の思考は次のように進みました。

母に問題があるのではないかと気づいてからも、母はわたしを愛していないのではなく、「無理解なだけだ」と思い込もうとします。わたしを苦しめ、葛藤に追い込んでいるけれども、それはわたしのことがよく分かっていないだけなのだ、と。

それに加えて、母は「かわいそうな人なのだ」という仮説も付け加えました。当時の女性が置かれていた立場からしても、かわいそうな状況に追い詰められているために、子を苦しめているとは気づかずにわたしを苦しめてしまっている。だから、わたしを愛していないわけではない――。そう合理化しようとしました。

しかし、岸田少年はこの仮説に安住することができませんでした。

なぜなら、母親の無理解は選択的な無理解だったからです。

母親の無理解は首尾一貫していなかった。

母親は、彼がまさに理解してもらいたいと思っていることだけを理解しようとしなかったと岸田は振り返っています。

家業を継ぎたくないことや、母の恩に押しつぶされそうになっていることなど、もし理解してしまったら母にとって致命的に不利になることばかりを、それだけを選んだかのように理解しなかった。それ以外の点では、母は無理解な人ではまったくなかった。

それゆえ、仮説は疑わしいものとなりました。

そして、岸田がこの仮説を否定せざるを得なかったのは、この仮説を立てても神経症のさまざまな症状が説明できず、なおかつ、その症状が消えなかったからです。それはすなわち、彼の無意識はこの仮説を信じていないということでした。

そこで岸田少年は、フロイトに基づき、「強迫観念は正しい」という仮説を立てました。その結果、架空の借金という強迫観念が見事に説明できました。

それは「返さなければならない母の恩」が「返さなければならない友人への借金」へと形を変えていた、という解釈です。

このスライドの利点は、友人への借金は少額の金ですみ、母の恩と比べれば楽な負担だという点です。強迫反応は「場面を間違えていただけの『正常な』反応」だったというわけです。それは「認めたくない真に恐ろしい現実から逃避するのに役立っている」のです（『フロイドを読む』、34頁）。

「架空の借金」という不合理が、やっと合理性を獲得したのです。

愛と知性があるから呪いにかかる

歪《ゆが》めたもの、隠蔽したもの、目を背けたものが形を変えて、症状として姿を現す。

人間に備わってしまった法外な合理化の能力の結果、無意識へと抑圧したものが症状という形で回帰する。

これは愛を求める合理的な主体となってしまった僕ら人間の宿命なのかもしれません。

いじらしいと思いませんか？
人間のもつ根源的ないじらしさ、切なさを僕は感じてしまいます。愛という贈与の不在から目を背けるために、現実世界をねじ曲げてまで、自身の境遇を合理化しようとする姿勢。

岸田少年は、「無理解な母」「かわいそうな母」という物語を採用し、この目の前の事象を合理化しようとした。しかし、その合理化は母の自己欺瞞《ぎまん》、つまり愛してなどいないくせに愛を装う態度の前に、破綻《はたん》することが目に見えていました。プレヒストリーを持つ、返礼としての贈与ではなく、家業を継がせたい、子をコントロールしたいという自分の利益のための交換であったにもかかわらず、それを無償の愛＝贈与だと偽る。と同時に、偽っていることを母は忘れてしまった。そして子がその矛盾から目を背け続けたことによって、根本の問題は先送りされ続けたのです。

愛を受け取りたいという「欲望」と、物語によって事象を合理化するという僕らに備わってしまった「能力」は、現実を無視し、ねじ曲げ、歪めてしまうほどの力を持っています。

それゆえ僕らは現実との接点を見失い、妄想に絡めとられる。贈与の呪いはこのように発動するのです。

このように、呪いはもちろんネガティブなものではあります。しかし次のような見方もできるのではないでしょうか。僕らは愛と知性を携えているからこそ、呪いにかかるのだ、と。

なぜなら、愛を求めない人間は呪いにはかからないからです。

合理的な思考能力を持たない人間も呪いにはかかりません。

岸田少年のように愛を求めながら、目の前の愛の不在を合理化しようとする人間だけが、呪いにかかることができるのです。

愛の不在から目を背けることができるということは、その人は愛の存在をそもそも知っているということが含意されます。ある対象がどこにあるかを知らず、どういうものなのかも知らない人はその対象から目を背けることはできません。

目を背けてしまったという事実は、その人が愛の手触りをちゃんと知っていることを示しています。

だから、呪いにかかるのは、愛と知性をきちんと備えていることの証でもあるのです。

他者から見ればどれほど不合理であっても、本人の中では（たとえそれが「つぎはぎ」だらけだとしても）極めて合理的な物語を生きているのです。

僕らは呪いとともに生きていく——。

ダブルバインド

岸田は先の事例を踏まえて次のようにまとめています。ポイントは、発達過程で子にとって最も重要な人物である親が、嘘を現実と偽って提示するという「欺瞞」があるか否かです。

> この欺瞞さえなければ、相当ひどい親であっても子どもを神経症や精神病に追い込むことはないと思われる。わたしが母をいまだに恨んでいるのは、母がわたしを愛していなかったからでも、わたしを利用しようとしたからでもなく、この欺瞞をやったからである。（…）わたしを愛していなかったにもかかわらず、自分自身以上にわたしを愛しているとわたしに信じ込ませ、それを根拠にしてそのお返しに、わたしがわたし自身以上に母を愛し、大切にすることを強要したからである。愛の名においてわたしを利用しようとしたからである。
>
> （『フロイドを読む』、193-194頁、強調引用者）

つまり、こういうことです。

僕らはときとして、贈与を差し出す（ふりをする）ことで、その相手の思考と行動をコントロールしようとしてしまうのです。そして実際、相手は贈与の力によってコントロールされ、そのコミュニケーションの場に縛りつけられてしまうのです。贈与の呪いは、相手がそれに気づかないうちに、相手の生命力を少しずつ、確実に奪っていきます。

岸田の分析にあるような贈与の呪いは、親に特有のものではありません。それは単に親子関係が強い贈与の関係にあるからこそ、発生しやすいというものです。これを一般化すれば「ダブルバインド」という状況になります。

ダブルバインドは呪いの別名となります。

ダブルバインドは無関係な人同士の間では発生しません。

家庭、恋愛関係、先輩後輩関係、職場の人間関係、学校のクラスメイトなど、その関係性から離脱することが困難な人間関係の中で、つまり強いつながりの中で発生します。

ダブルバインドとは何か。具体例で説明しましょう。

あなたは私のことが好き。でも……

作家の田口ランディの『根をもつこと、翼をもつこと』の中に、呪いについて書かれたエッセイがあります。その中で田口は「あなたは私のことが好き。でもあなたは私のことを分かっていない」という見事にダブルバインドなフレーズを挙げています。

「あなたは私のことが好き。でもあなたは私のことを分かっていない」

まず「あなたは私のことが好き」という発話によって、相手をこの場から逃れられないようにしています。人は、好意を持っている相手と一緒にいたいはずですから。そして、ここには「好き」という通念上、「好きである以上、私のことを理解しているはずだ、理解すべきだ」ということが含意しています。それを踏まえたうえで、「でもあなたは私のことを分かっていない」とひっくり返すわけです。

ここにダブルバインドが隠れています。ダブルバインドとは、「相矛盾するメッセージによる束縛」のことです。先のフレーズは2文から構成されていますが、「でも」の前後が矛盾しているのです。そして、これを口にする相手とは強いつながりの中にいますから、この関係性から脱出するのは困難です。このようなダブルバインドは相手をコントロールできてしまうのです。

もし恋愛のパートナーから先の言葉を投げつけられた場合、どのような返答が可能でしょうか？

おそらく、どのような返答をしようが結果は見えています。

たとえば、「それってどういうこと？」もしくは「じゃあどうすればいいの？」と聞いたとすれば、

「ほら、やっぱり私のことが分かっていない！」

と返されてしまいます。

あるいは、返すべき返答が分からず沈黙した場合にも同様に「ほらね、分かってないでしょう」と言われてしまいます。

いかなるリアクションであっても、それは「私のことが分かっていない」証拠にされてしまう。

こうした会話が繰り返されていくうちに、彼は病的なコミュニケーションの中に引きずり込まれていきます。

答えが最初から封じられているコミュニケーションは僕らの精神を蝕《むしば》んでいきます。答えが最初から存在しないコミュニケーションとは、「コミュニケーションについてのコミュニケーション」が不可能にされた状況です。

「じゃあどうすればいいの？」あるいは「なぜ君はそんなことを言うのか？」といった当惑を含んだ問いかけは、「このコミュニケーションはどのようなコミュニケーションなのか？」という階層が一つ上のメッセージです。しかし、その問いかけそのものが拒否されているのです。ゲームの内部で、そのゲームそのもののルールを問うのは規則違反だというわけです。

ゲームの内部では矛盾が生じる。しかし、そのゲームの外へ出ること（コミュニケーションについてのコミュニケーションを行うこと）も許されない。

ダブルバインドとはこのような状況を表しています。

ダブルバインド理論を提唱した精神医学者・文化人類学者のグレゴリー・ベイトソンは、ダブルバインドの例としてこんな話を紹介しています。


禅の修行において、師は弟子を悟りに導くために、さまざまな手口を使う。その中のひとつに、こういうのがある。師が弟子の頭上に棒をかざし、厳しい口調でこう言うのだ。「この棒が現実にここにあると言うのなら、これでお前を打つ。この棒が実在しないというのなら、お前をこれで打つ。何も言わなければ、これでお前を打つ」。（…）禅の修行僧なら、師から棒を奪い取るという策にも出られるだろう。そしてこの対応を、師が「よし」と認めることもあるだろう。

（『精神の生態学』、２９６頁、強調引用者）


師から棒を奪い取るという行為は、いわば「矛盾のコミュニケーションの外」へ出るという選択です。ですが、職場の人間関係や親子関係などでは、その関係性の外へ出るというのは困難です。特に、幼児期の子にとって親の前から立ち去ることはほぼ不可能です。

それゆえ、ダブルバインドという呪縛的状況が成立します。

また、田口は先のエッセイの中で、呪いは「意味不明の言葉の反復」という形を取ると指摘しています。

なぜ「意味不明の言葉の反復」が重要になるのか。

それは、僕らが何かを反復して人に伝えようとしている場面を考えてみれば分かります。

通常の文脈では、何度も同じ言葉を口にするという行為は、「あなたはこの言葉の意味がまだ分かっていない」というメタメッセージを含みます。さらには「この言葉には重要な意味があり、あなたはこれを理解しなければならない」という命令のメッセージすら送ることができます。

また、なぜ「意味不明」かというと、ベイトソンがいうように、メッセージとメタメッセージが矛盾しているからです。これはメッセージが「ナンセンス」であるということではありません（というよりも、「ナンセンスなメッセージ」という表現は形容矛盾です。ナンセンスなメッセージ、意味を読み込むことが原理的にできないメッセージはメッセージではありません）。

ナンセンス（無意味）なものは力を持たないが、矛盾は強い力を持つ。

非合理なものを僕らは無視することができるが、不合理なものに遭遇し、そこから出ていくことを禁じられたとき、僕らは一切の動きを封じられ、生命力を奪われる。しかし反復することで矛盾したメッセージに「このメッセージには意味がある」というメタメッセージを込めることができます。

それゆえ、強いつながりの人間関係の中で意味不明なメッセージを反復することは、呪いとしての効果を最大限発揮する手法となるのです。

さて、届いてしまった年賀状に「やれやれ」と感じる理由の話に戻りましょう。「やれやれ」の理由は、贈与がダブルバインドを生み出す要素を兼ね備えてしまっているからです。

まず、そもそも贈与とはコミュニケーションの一部です。それゆえその贈り物にはメッセージが付帯します。第一次のメッセージ（差出人によるメッセージ）は「これはお返しを必要としない贈与です」というメッセージであり、第二次のメッセージ（受取人が感じ取るメッセージ）は「これは返礼を期待されている」というものです。そして、贈与はつながりを発生させてしまうがゆえに、受け取った段階で差出人との関係性が立ち上がってしまいます。

つまり、受け取ったという事実それ自体が離脱を原理的に不可能にするのです。晴れて（？）ダブルバインドの成立です。

ちなみにこれは僕らの日常的なメールでのやり取りでも発生しています。

こちらが忙しい時期であることを相手が分かっているとき、よくメールの文面の最後に「返信はいりません」と書かれていることがあります。が、これは贈与論的に考えると矛盾したメッセージです。

「返信はいらない」ということは、そのメールは見返りを求めない贈与だと言っていることになります。ですが、受取人にとって贈与は本質的に返礼が後続するものでした。つまり、「返信無用」という言葉は「これは贈与であり、かつ同時に交換である」という矛盾したメッセージになってしまうのです。

本当に返信しなくていいのか、あるいは一言でもいいから返信しなければならないのか判断がつかないという困惑は、まさに贈与とコミュニケーションをめぐる問題から起こっていたわけです。

年賀状が届いてしまってやれやれと感じるということは、こちらには返すつもりがないということです。この場合、「返信の年賀状を送る」か「今年も送らない」の二つの選択肢がありますが、そのどちらを選択しても負い目を消すことができません。

もし返信を出せば、（返礼はそれ自体がふたたび贈与となり再返礼を生み出すので）もちろん来年も向こうから年賀状が届いてしまいます。

ですが、今年も送らないという選択肢を取ると、相手への申し訳なさという負い目を抱いたままの状態になります。

つまり、答えを封じられた問いかけと同様に、「相手が交換するものを持たないことを知りながら贈与を手渡す」と相手を呪いにかけてしまう。

しがらみから抜け出すことを「自由」と呼ぶのならば、このように贈与は時として私の自由、あるいは誰かの自由を奪ってしまいます。

ここから引き出せるのは、贈与の差出人は「これは贈与だ」と宣言してはならない、という知見です。

だから、贈与は差出人にとっては語り得ぬものとなります。

「親の心子知らず」の正しさ

僕らはこの世に生を受けるとき、交換するものを一切持たない状態で生まれてきます（早産の形で生まれる僕ら人間は、衣食住の支援、そして教育という「保護者」からの贈与がなければそもそも生存できないのでした）。

親子の関係は、親から子への一方的な贈与で成り立っています。

しかし、ここに贈与の暴力性が潜んでいます。

「尾木ママ」の愛称で親しまれている教育評論家の尾木直樹は、自身の子育ての経験も踏まえて「子育てはしくじるもの。失敗するに決まっている」と、あるテレビ番組の中で語ったことがあります。そして、子供は親の顔色をうかがい、いい子であろうとしてしまう、とも。

なぜ子供はいい子であろうとするのか?

それが、親の愛という贈与に対する、子供なりの精一杯の返礼だからです。

交換するものを持たない子供は「親にとっての理想の子供」であろうとしてしまう。お返しをしないと、愛を与えられないのではないかという、あまりにも切ない不安に駆られるからです。

「親の心子知らず」という言葉がありますが、これは正しい警句です。

正しいというのは、事実としてそうだというのではありません。

そうではなく、子は親の苦労を知ってはならないという意味で正しいということです。

子は、親の苦労を知ってしまうと窒息します。一方的な贈与の負い目に耐えられません。子供の眼には、親の愛はどう考えても割に合わないものとして映ります。贈与の無根拠性、不当性はもちろん贈与の力を生み出すのですが、それが幼い子供にはあまりにも大きすぎる。ちなみに先ほどの岸田秀も、母から家業の経営がこれまでどれほど大変なものだったかを、ことあるごとに聞かされていたといいます。

そして、ただでさえ困難な親と子の贈与関係に、交換の論理が入り込むともっと厄介なことになります。

交換の論理の最大の弊害は、「意味」を無時間的に求めてしまう点にあります。

あらゆる行為の意味、親であれば自身の「愛の意味」を、今すぐ、今ここで求めようとしてしまうことです。

これは、セカイ系の贈与の話でも出た「意味の欠如」に対する強迫観念とも言えます。

それは自分の愛が子に届いているのかを、今すぐ、今ここで確認しようとする態度につながります。

「なんで勉強しないの！　誰が塾の月謝を払ってると思ってるの？」

このセリフは極めて交換的なワーディングです。努力する限りにおいて費用を負担するという、努力と費用の等価交換です。しかも、二つめの文は疑問文になってはいますが、答えは一つしかありません。答えが制限されている問いかけは呪いのレトリックです。

また、「私（母）がいなくなったらどうするつもり？」は「親の心子知らず」の逆の効果を生んでしまいます。「あなたは私がいなければ生きていけない。だから私に従いなさい」というメタメッセージを発しているからです。言い換えれば、「あなたは私の贈与によって支えられている」というメッセージであり、子の負い目を強化する方向に作用します。

さて、これまでの議論をまとめましょう。それは「贈与は、それが贈与だと知られてはいけない」ということです。

「これは贈与だ、お前はこれを受け取れ」と明示的に語られる贈与は呪いへと転じ、その受取人の自由を奪います。手渡される瞬間に、それが贈与であることが明らかにされてしまうと、それは直ちに返礼の義務を生み出してしまい、見返りを求めない贈与から「交換」へと変貌してしまいます。そして、交換するものを持たない場合、負い目に押しつぶされ呪いにかかってしまうのでした。

「鶴の恩返し」の部屋を覗いてはならない理由

だから、民話の「鶴の恩返し」では部屋を覗いてはならないのです。

機織《はたお》りをしているのが、助けた鶴だと知られてしまったら、それは先行する贈与に対する返礼であり、鶴を助けた男はその返礼を受け取り、さらに再返礼をしてしまう可能性があります。つまり、「部屋を覗いてはならない」という禁止は、「恩返し」によって返礼の輪が閉じてしまうこと（＝交換）を避けるためだったのです。鶴は、男に知られないようにすることで純粋贈与を完遂しようとしたのです。だから、正体がばれてしまった後、その場を立ち去ったというわけです。

贈与者は名乗ってはなりません。名乗ってしまったら、お返しがきてしまいます。

贈与はそれが贈与だと知られない場合に限り、正しく贈与となります。

しかし、ずっと気づかれることのない贈与はそもそも贈与として存在しません。

だから、贈与はいつかどこかで「気づいてもらう」必要があります。

あれは贈与だったと過去時制によって把握される贈与こそ、贈与の名にふさわしい。

だから、僕らは受取人としての想像力を発揮するしかない。

第4章　サンタクロースの正体

差出人のいない贈与

第2章では、交換の論理だけでは僕らは十全に生きていくことができないことを見ました。しかし、では交換とは性質がまったく異なる贈与ならすべて解決するかというと、そうではありませんでした。第3章で述べたように、贈与はたやすく他者を縛りつける呪いへと変わってしまうのでした。

贈与の困難がここにあります。交換がダメなら贈与で、というような単純な解決法はないということです。

ここからの章を使って、この困難を乗り越える道を探っていきます。

第1章の終わりに「贈与は、受け取ることなく開始することはできない」と述べました。

贈与は受取人のポジションから始まり、その受取人は贈与のプレヒストリーを持つがゆえに、その返礼として自身がふたたび差出人となる可能性を帯びる、と。

ですが、ここからは、少し視点を変えたいと思います。

これまでの議論は、贈与の「差出人」と「受取人」をいわば横並びのものとして、二つの視点を同時に見てきました。

今から改めて考えてみたいのは、受取人の視点です。

なぜなら、差出人がそもそも存在しない贈与というものが存在するからです。

贈与は、受取人がこの世界に出現したときに、初めて贈与となる——。


思想家の内田樹は、「贈与は『私は贈与した』という人ではなく、『私は贈与を受けた』と思った人の出現によって生成する」と述べています（『困難な成熟』、207頁）。

内田はまた、哲学者エマニュエル・レヴィナスの「かつて一度も現在になったことのない過去」という言葉を引きながら、贈与とは「そんなことがあったかのように思えるけれど、そこまでさかのぼることのできない過去の出来事」であると表現しています（同書、205頁）。

一体どういうことでしょうか？　次の事例にそのヒントがあります。

「16時の徘徊」の合理性

その男性の母親は認知症を患い、毎日16時になると外へ出て行ってしまうという。

いわゆる「徘徊《はいかい》」だ。

男性は、必死になってその外出を止めようとすると、母親はわめき、暴力をふるう日々が続いた。

「母さん、どうして毎日16時に外出しようとするの？」

尋ねてもはっきりとした返事はない。

どうすることもできなくなり、彼はベテランの介護職員に相談した。

すると介護職員は何を思ったか、母親の兄に連絡を取った。そして「16時」というキーワードで何かヒントは無いかと尋ねる。すると伯父は、「16時」とは幼かったころの息子が幼稚園からバスで帰ってくる時間ではないかと言う。

その話を聞いた介護職員は、母親にこう告げた。「今日は息子さん、幼稚園のお泊り会で、帰ってきませんよ。バスも今日は来ませんよ」。おまけにニセモノの「お泊り会」の案内状まで作って母親に見せた。

するとどうだろう、母親は、「そうだったかね？」と言って部屋に戻っていった。

その日を境に、同じように「今日は帰ってきませんよ」という説明をしてあげるだけで、「16時に外へ出て行ってしまう」という行為はなくなった。

これは酒井穣『ビジネスパーソンが介護離職をしてはいけないこれだけの理由』に登場するエピソードです。この介護職員は徘徊という（僕らから見れば）不合理な振る舞いの中に隠されている合理性を正しく察知することができたのです。

母親は「徘徊」という行為ではなく、「息子を迎えに行く」という物語の中を生きていたのでした。

母親は、昔の鮮明な記憶の世界において、毎日16時に、幼い息子を迎えに行っていたのです。それは、他人から見たら徘徊にすぎないのでしょう。しかし、この母親にとっては、愛する息子に寂しい思いをさせないための当然の行動だったのです。それを止めようとする存在は悪であり、暴力をふるってでも戦うべき敵に見えていたとしても、当然のことです。

（『ビジネスパーソンが介護離職をしてはいけないこれだけの理由』、154頁）

もしその男性が「16時」という不合理の合理性に気づかず、母親の振る舞いが非合理なもの、意味のないものだと見なしたままだったとしても、母親の「息子を迎えに行く」という贈与の行為はこの世界に存在したでしょうか。

母親という差出人とその贈与は、受取人である男性がそれに気づく前の時点では存在しなかった。

「実はこの私を迎えに行っていたのか」と気づいた時点において、母の行為が数十年の時間を飛び越えて、今ここに贈与として立ち現れたわけです。

では、この贈与を受け取ったのはいつなのでしょうか？

もちろん、贈与に気づいたのは今現在です。

僕は、男性はこの贈与をずっと受け取り続けていたのではないかと思います。

贈与はすでにここに届いていた。

ただ、それを見落とし、気づかず、数十年の時間が経っていた。

しかし、だからこそ、その贈与は呪いになることなく、男性のもとに届いたのです。

この「16時の徘徊」のエピソードには、本書が目指す贈与論のモデルの一つが隠されています。

他者の不合理な振る舞いの中に、差出人としての姿が隠されている。

僕らは不合理性を通して、他者からの贈与に気づくことができる――。

礼儀の本質は「冗長性」にある

贈与にはある種の「過剰さ」「冗長さ」が含まれています。なぜかというと、ある行為から合理性を差し引いたときそこに残るものに対して、僕らは「これはわたし宛の贈与なのではないか」と感じるからです。

たとえば、他者からの「敬意」や「礼節」も、そのようにして僕らに伝わります。

帽子をかぶっている男性は、誰かと会ったときには脱帽するのが「マナー」です。それ

本づくりで大事にしていること

井上慎平
NewsPicksパブリッシング編集長

1988年生まれ。京都大学総合人間学部卒業。ディスカヴァー・トゥエンティワン、ダイヤモンド社を経てNewsPicksに。担当書に『シン・ニホン』『学力の経済学』『転職の思考法』など。

思えばいつも、「世の中の現実はすでに変わっているのに、システムや価値観が変わっていないために生じるひずみ」を見つけては、本で解消しようとしてきた。与えられた問題をそのままに解くのではなく、その「問題が問題と認識されている構造」にまで立ち返り、新しい問いを届けたい。

富川直泰
NewsPicksパブリッシング副編集長

早川書房および飛鳥新社を経て現職。手がけた本はサンデル『これからの「正義」の話をしよう』、ディアマンディス&コトラー『2030年』、リドレー『繁栄』、近内悠太『世界は贈与でできている』など。

ビッグアイデア・ブック(新しい価値観を提示する本)であること。人間と社会の本質を摑んだ本であること。rational optimism(合理的な楽観主義)がベースにあること。そして、「日本人には書けない本」であること。ぼくが海外の本を紹介し続けているのは、狭い専門分野に閉じこもらず、総合知を駆使して大きなビジョンを示す胆力がそこにあるからです。

中島洋一
NewsPicksパブリッシング編集者
Brand Design 編集長

筑波大学情報学類卒業。幻冬舎、noteを経て現職。担当した主な書籍に、宇田川元一『他者と働く』、石川善樹『フルライフ』、後藤直義&フィル・ウィックハム『ベンチャー・キャピタリスト』など。

真実であること。真実は、たしかに深掘りされた事実(客観的真実)と、感覚や解釈を研ぎ澄ませた事象(主観的真実)から成ります。またおもしろいこと。ビジネス書においては、知的好奇心を刺激することを意識しています。ときに変化の痛みすら伴う深い学びを、快く受け入れ、鮮やかに記憶できるような編集を大切にしています。

的場優季
NewsPicksパブリッシング編集者

英国立イーストアングリア大学国際開発学部卒業。ユーグレナ社でIR・ESG・バングラデシュ事業開発担当を経て現職。担当書に『資本主義の中心で、資本主義を変える』。1994年、神奈川県生まれ。

誰かが生きやすくなると思えること。「気づいたら読んでいる」没入の幸せをつくること。本で世界は変えられるのか。ときどき自問自答します。いや、本で世界は変えられないかもしれない。でも確実に、本で自分の世界は変わっている。『源氏物語』や音楽のように、時の洗礼に耐えう
性を追求してみたい気持ち

が何ら合理性を持たないからこそ、こちらへ向けた敬意の表れだと気づくのです。

もっとはっきりした例は、会話表現です。たとえば他者に何かを促す際にかける言葉をみてみましょう。「座れ」「座りなさい」「おかけください」「もしよろしかったらおかけになってはいかがですか」と、文字数が増えていき冗長度が増していけばいくほど、ていねいな言葉遣《づか》いに変わります（「座れ！」と語気を強めるという冗長性を込めることで、「私はあなたに命令している」というメッセージが込められます。怒鳴るほうがエネルギーを使いますから）。

これは英語表現でも同様です。「Would you~?」と仮定法的なニュアンスが加わる（日本語の「もしよかったら」に相当します）ことで、冗長性（単語数）が増します。

冗長とは、言いかえれば「無駄」ということです。同じ意味内容でも、無駄が多ければ多いほど、つまりコストがかかっていればいるほど、「より多くの敬意」というメタメッセージが込められているように感じられるのです（場合によってはそれが「皮肉」というメッセージに聞こえることもありますが）。

プレゼントをもらうときだってそうです。渡されるときに「これ、Amazonで買ったんだ」と告げられるよりも「これ、見つけるの大変だったんだ」と告げられたほうが、普通はうれしいはずです（もちろん、恩着せがましすぎると、呪いになります）。

まったく同じプレゼントでも、ネットストアでパパッと買ったものよりも、わざわざお店に足を運び、あれこれ吟味し、悩み、手間暇かけて選んでくれたもののほうがうれしく感じる。

つまりはこうです。

贈与は合理的であってはならない。

不合理なものだけが、受取人の目に贈与として映る。

というよりも、他者からの贈与は僕らの前に、必然的に不合理なものとして現れるのです。

「君の好きなとこ」の不合理

僕らは「合理性」というものを、極めて肯定的に捉えています。反対に、「不合理性」には、排すべきものというネガティブな印象がつきまといます。

ですが、不合理なものには、僕らの心と思考を大きく動かす力があります。

不合理という表現が分かりにくければ「矛盾」と言い換えてもかまいません。

矛盾には「質の悪い矛盾」と「質の良い矛盾」があります。

質の悪い矛盾はその主体から生命力を奪い、その場に縛りつけますが、質の良い矛盾はその主体に生命力を与え、その人を動かします。矛盾はデッドエンド（行き止まり）であることもあれば、どこか未知の場所へと通じるドアでもある。

そんな質の良い矛盾の力を見てみましょう。

友人としゃべっているとき、ふと「ねえ、今付き合っている人ってどんな人？」と聞かれたとします（もっとダイレクトに、恋人から「ねえ、どうして私のことが好きなの？」とか「私のどこが好き？」と聞かれてしまった場面でも別にかまいません）。

どう答えるでしょうか？

歌手の平井堅に「君の好きなとこ」という曲があります。タイトル通り、サビの歌詞では「君の好きなとこ」が列挙されますが、こんな感じです。

照れた笑顔　すねた横顔　ぐしゃぐしゃ泣き顔
長いまつ毛　耳のかたち　切り過ぎた前髪
（…）
ホッとした顔　笑ったときハの字になる眉

素敵な回答だと思います。

どういうことか？

「照れた笑顔　すねた横顔　ぐしゃぐしゃ泣き顔」と「長いまつ毛　耳のかたち　切り過

ぎた前髪」のそれぞれの前半は、通常の文脈であれば、たしかに褒め言葉でしょう。つまり、相手の女性自身が長所として自覚していると思われる特徴です。過去に他人から褒められたりするなどして、本人が美点（自分の好きなとこ）としてすでに把握している自身の特徴（＝セルフイメージ）です。

しかし、それぞれの行の最後の特徴（「ぐしゃぐしゃ泣き顔」「切り過ぎた前髪」）はセルフイメージ的には欠点のはずです。つまり、彼女本人にとっては合理的な（つまり、自他ともに認めるような）長所ではありません。まさか「好きなとこ」として挙げられるとは思ってもみなかった特徴、あるいは、そもそもセルフイメージとして登録されていなかった特徴かもしれません。特に「切り過ぎた前髪」はおそらく女性がもっとも悔やむ失敗です（周りの人間がどれだけ「似合っているよ」と褒めようがなだめようが、たぶん聞いてはもらえません）。ですが、あえてそれを名指し、言《こと》挙《あ》げすることによって、語り手の思いが伝わってきます。

この曲を聴いた僕らが、ここで歌われている相手の女性がどのような人物なのかを思い浮かべることができ、きっと愛らしい相手なのだろうと直感できるのは、「好きなところ」として合理的な長所を述べた後に、一見すると不合理な特徴をそれとなく挙げているからです。

大切な人を描写する言語表現の中の、合理性と不合理性のバランスおよびその順序が見事に調整されているのです。

なぜこの人は私の欠点を「好きなとこ」だと言うのか？

この不合理、矛盾を合理化し整合的に理解する方法は、「そこに愛が示されている」という仮説を立てることです。その仮説の下であれば、発生した不合理性、矛盾は解消されます。

この理由以外にその不合理は解消されません。つまり、愛は不合理からしか生まれないのです。

だから、合理的な理由だけをひたすら10個も20個も列挙されることほど、愛のメッセージから遠いものはありません。

かわいい、優しい、おしゃれ、スタイルがいい、近くで見ると気づく長いまつ毛……と列挙されればされるほど、〈私〉という存在から遠ざかってしまいます。

その特徴を満たす存在者であればいいのなら、〈私〉の代わりは他にもいるという感覚に襲われます。それは〈私〉の魂から遠く離れた言葉です。

しかし逆に、合理的に褒めることなく、いきなり不合理な特徴ばかり挙げられたら、それはそれで相手のセンスを疑ってしまいますし、「私はそこまでひどくない！」「それのどこが好きなところなの！」と怒り出すでしょう。

「周りのみんなは気づいてないかもしれないし、君自身もそうは思っていないかもしれないけれど、僕はそこが君の素晴らしいところだと思っています」という特別なメッセージが「切り過ぎた前髪」であり「ハの字になる眉」なのです。

平井堅は合理的な「好きなとこ」をまず述べたあとに、不合理な「好きなとこ」をそっと、さりげなく置いてみた。そうしたら、その表現がたしかに君を少しだけ捉えているように感じた。

しかし、大事なのは、これを平井堅自身が言っているのではなく、聴き手である僕にはそのように聴こえてしまったという点です。

メタメッセージは「声にならない声」です。メッセージの中には書いてありませんから。

はっきり言えば、声になってはならない声なのです。

だから、それは聴き取ってもらうものです。差出人側の意図とは関係ありません。

そしてそのメッセージがこちらに伝わるための回路が、合理的な長所の言挙げなのです。相手の合理性に対する信頼があるからこそ、メタメッセージの受信が可能になります。

合理的な、つまり、彼女の思う自身の長所を正確に、寸分の狂いも無く列挙した後だからこそ、不合理な特徴の描写、言挙げが愛の言葉へと変貌します。

合理的なものよりも、不合理なものが持つメッセージ性のほうが強いのです。

ですが、不合理なもの単体では、その力は発揮できません。

不合理は、合理性の後にやってくる。

名乗らない贈与者サンタクロース

ここまで贈与の困難ばかりを述べてきました。

ですが、実は僕らはすでにこの困難を切り抜けるヒントを手にしています。

贈与者は名乗ってはならない。贈与は手渡す瞬間には気づかれてはならない。

名乗ってしまったら、返礼が可能になり、交換に終わってしまう。

あるいは、返礼ができない場合、呪いにかかり、自由を奪われてしまう。

名乗らない贈与者として世界的に有名な人物が一人います。

サンタクロースです。

現在のサンタクロースの典型的なイメージは、１９３１年にコカ・コーラ社がキャンペーン用に作ったものとされています。つまり、「遠い北の国からやってくる優しいサンタクロース」というファンタジーは、資本主義が生み出した現代の神話なのです。
僕らは市場経済という交換の論理の真っただ中で、贈与を成立させるためにサンタクロースを発明しました。

サンタクロースは実に不思議な制度です。

なぜ、文化を問わず、サンタクロースという存在が世界中でこれほどまでに機能しているのでしょうか。

それは、サンタクロースという装置によって、「これは親からの贈与だ」というメッセージが消去されるからです。つまり、親に対する負い目を持つ必要がないまま、子は無邪気にそのプレゼントを受け取ることができるのです。

鶴の恩返しがばれてはいけないのは、贈与の差出人は名乗ってはならないというルールのためでした。

また、差出人は贈与をそこに置いたら、必ずその場から立ち去ります。

わざわざ家まで来てくれたサンタクロースなのですから、お茶でも飲んで行ってくれてもいいと思いませんか。しかしサンタクロースは、僕らからの歓待や返礼を絶対に受け取りません。まさに一方的な贈与の差出人なのです。

贈与を差し出し、名乗ることなく、すぐにその場を立ち去る差出人。

それは、返礼を不可能にするためだったのです。

だから贈与が次の受取人へとふたたび流れていくことが可能なのです。

ここまでくると、第1章で観た「ペイ・フォワード」の主人公トレバーがテレビインタビューの収録直後に命を落とした理由が分かります。インタビューを受けたことで「私がペイ・フォワードの起源である」と名乗ってしまったからだったのです。それゆえ、ペイ・フォワードは贈与のフローではなく、交換へと変わってしまい、その代償を必要としました。

しかもインタビューが行われたのは、テレビ局ではなく、まさに贈与が最初に起動した場所、つまり教室でした。ペイ・フォワードという大きく拡がった贈与運動の「発祥の地」と、その起源が神や自然ではなく、固有名を持ったたった一人の普通の少年であることが暴露されてしまったからです。

交換の論理は、差出人の固有名やその努力を明示してしまうがゆえに贈与に失敗します。

どこから届いたのかが分からないことが重要なのです。

だから、サンタクロースの正体は親だと子に知らせてはいけないというのは、大人の義務です。知られてしまったら、贈与が成立しなくなってしまうからです。子には、サンタクロースという存在を徹底的に信じこませる必要があります。

サンタクロースは人ではありません。
見返りを求めない純粋贈与という不合理性を合理性へと回収するために要請される装置、機能に与えられた名前であり、贈与の困難を切り抜ける方法だったのです。

そして、サンタクロースの機能は純粋贈与をするだけでは終わりません。
その正体は親だったということを子が知った瞬間にサンタクロースは役目を終えます。
僕らは「サンタクロースなどいない」と知った時、子供であることをやめる。
つまり、サンタクロースの機能の本質はどこにあるかというと、「時間」です。
名乗らないというのは、時間を生み出すための手段なのです。

第2章の最後に、交換の論理の只中にいる僕らは、自らが差し出した贈与がその宛先に届くのを「待つ」ことができないと述べました。ですが、サンタクロースという装置によって、親はサンタクロース＝親、つまり差出人が実は親であることに子供が気づくまで待つしかありません。名乗ってはいけないのですから。なので、「親の心子知らず」が見事に成立します。

親は名乗ることを禁じられているがゆえに「これが私たちからのプレゼントだったといつか気づいてくれるといいな」という地点に踏みとどまることができます。

親はサンタクロースという実在しない存在に贈与を託す。

自分が直接届けることができないから、サンタクロースというメッセンジャーにプレゼントを託すのです。

そう、贈与は差出人に「届いてくれるといいな」という節度を要求するのです。

贈与の呪いの正体は、その節度の無さ、祈りの不在だったのです。そしてその節度の無さとは、贈与は必ず届くという信念から生まれます。

贈与は届かないかもしれない。

贈与は本質的に偶然で、不合理なものだ——。

そう思えることが差出人に必要な資質なのです。

時間軸が狂った形で現れる

では一方、贈与の受取人である子供についてはどうでしょうか?

子は親に対して被贈与の負い目を持ちようがありません（サンタクロースに対しては感じるかもしれませんが）。なぜかというと、「サンタクロースは実は親だった」と気づいたときにはもう遅いからです。つまり、「実は私は親からの贈与をすでに受け取っていた」と気づいたときには贈与は完了してしまっているのです。「今、ここ」にはもはや贈与という行為そのものは存在しません。したがって、負い目を一定期間スキップすることが可能になっています。

つまり、こうなります。

贈与は、差出人にとっては受け渡しが未来時制であり、受取人にとっては受け取りが過去時制になる。

贈与は未来にあると同時に過去にある。

スローガン的に言い切ればこのようになりますが、正確に言えば、ここでの正しい時制は未来完了時制と現在完了時制です。完了形とは、現在と未来あるいは現在と過去をつなぐ時制です。

「今 - 未来」「今 - 過去」が交錯するのが、贈与の本当の姿なのです。

それに対し、交換は無時間的、つまり、現在時制です。

贈与はそれが贈与である限り、「私はすでに受け取っていたのだ」「受け取り続けていた」という気づきを必要とします。

贈与は、時間軸が狂った形で僕らの前に現れる――。

本章冒頭の「16時の徘徊」のエピソードはそれを端的に示したものでした。

つまり、贈与は差出人の意図によって規定されるのではなく、受取人に開かれている。

だとするならば、受取人が現れさえすれば、あらゆるものが贈与になります。

贈与はどこから始まるかと言うと、第1章で見た通り、「受け取る」という地点からでした。

僕らは受取人としてのポジションからゲームを始めるのです。

だとすれば、贈与において最大の関心事は「どうすれば贈与を受け取ることができるのか?」という問いに集約されます。

受取人においては、贈与は過去の中にあるのでした。ですが、もちろん「過去そのもの」はもはや存在しません。

だから、そこには想像力が要請されます。

贈与は差出人に倫理を要求し、受取人に知性を要求する。

これは本書の贈与論において、決定的に重要な主張です。

そして、倫理と知性はどちらが先かと問われれば、それは知性です。

つまり、受取人のポジションです。

なぜなら、過去の中に埋もれた贈与を受け取ることのできた主体だけが、つまり、贈与に気づくことのできた主体だけが再び未来へ向かって贈与を差し出すことができるからです。その主体は「もし私が気づかなかったら、この贈与は存在しなかった」ということを痛いほど理解しています。つまり、「この贈与は私のもとへ届かなかったかもしれない」

と直覚できているからこそ、今から差し出す贈与も他者へと届かない可能性が高く、届いてくれたならこれほど素晴らしいことはないと分かっているからです。

この贈与は私のもとへ届かなかったかもしれない。

ということは、私がこれから行う贈与も他者へは届かないかもしれない。

でも、いつか気づいてくれるといいな――。

かつて受取人だった自身の経験から、そのように悟った主体だけが、贈与が他者に届くことを待ち、祈ることができるのです。

誤配と届かない手紙

批評家の東浩紀は「郵便的」「誤配」という言葉を用いています。

> 郵便的とはここでは、あるものをある場所にきちんと届けるシステムを指すのではなく、むしろ、誤配すなわち配達の失敗や予期しないコミュニケーションの可能性を多く含む状態という意味で使われている。
>
> （『ゲンロン0』、158頁）

先ほど、過去の贈与を受け取ることのできた主体は「この贈与は私のもとへ届かなかったかもしれない」と直覚できると言いました。東の用語を借りれば、これは郵便的なものとなります。そして、愛は不合理でなければならず、愛の宣言は「私は不当に愛されてしまった」というものになるのでした。それゆえ、その贈与は間違って届いてしまったもの――すなわち誤配と言い換えることができます。

「16時の徘徊」の贈与は、受取人が現れるまでは存在しませんでした。それは「たしかに発送されたのだが宛先を失ってしまった手紙」のようなものではないでしょうか？

東は『存在論的、郵便的』の中で、哲学者ジャック・デリダの「行方不明の郵便物」というメタファーを取り上げています。

> 行方不明の手紙は「デッド・レター」と呼ばれるが、決して死んでいるわけではない。それはある視点（コントロール・センター）から一時的に逃れただけで、いつの日か復活し配達される可能性がつねにある。とはいえ、その日が来るまでは（来るかどうかも分からないのだが）、行方不明の郵便は確かにネットワークからの純粋な喪失、死としてのみ存在する。
>
> （『存在論的、郵便的』、87‐88頁、強調引用者）

やや抽象的に思われるかもしれませんが、「16時の徘徊」のエピソードを思い出していただければ理解しやすいはずです。母の愛という「手紙」はたしかに発送されていたのですが、認知症によって困難となったコミュニケーションの中ではそれは見えなくなってしまっていました（＝ネットワークからの純粋な喪失）。しかしある日、息子はその手紙に気づき、手紙が届いたわけです。つまり、その日が来るまでは行方不明だった手紙が復活し配達されたということです。

これが贈与の持つ、本質的な不安定性です。

もう一つだけ引用します。これはデリダのテキストです。

> 手紙［文字］は必ずしも常に宛先に届くわけではなく、そしてそのことが手紙［文字］の構造に属している以上、それが真に宛先に届くことは決してなく、届くときも、〈届かないことがあり得る〉というその性質が、それを一個の内的な漂流で悩ませていると言い得るのである。
>
> （「真理の配達人」、105頁、強調原文）

引用中の「手紙」をすべて「贈与」に置き換えても意味は通じます。

デリダのこの言葉を借りればこうなります。

贈与は必ずしもつねに宛先に届くわけではない。そしてそれが贈与の構造に属している以上、それが真に宛先に届くことは決してなく、届いたとしても、〈届かなかったかもしれない〉ということが十分にあり得た、と。

届いていた手紙の封を開けよう

贈与は差出人から見れば、たしかに「届かない手紙」かもしれません。ですが、受取人の視点に立つならば、贈与は「届いていた手紙」になるのではないでしょうか？

それは、届いていたことに気づかなかった手紙、あるいは読むことができなかった手紙と言えます。

僕らはいつも他者からの善意を見落としてしまう。

というよりも、愛はそれが愛であるならば、見つからないように、気づかれないように手渡される。

愛はサンタクロースのプレゼントのように、その正体を隠したまま、僕らのもとへやってくる。

だとしたら、僕らにできることは「届いていた手紙を読み返すこと」ではないでしょうか。

あるいは、届いていた手紙を読むことができる人間へと変化することと言ってもいい。

届いていた手紙の封を開けること。

その手紙を読むためのヒントを見つけること。

これまで見てきたように、贈与はモノや財の移動そのものではなく、それに伴うコミュニケーションによって規定されていました。だからこそ、贈与は手紙であり、郵便的であり、誤配となるのでした。

だとしたら、贈与論はコミュニケーション論でなければなりません。

コミュニケーションはもちろん言葉を介して行われます。言葉を言葉足らしめているものとは何か。それは「意味」です。

言葉は意味を持つ。

あまりにも当たり前に見えるこの事実を考え直してみたいと思います。

その中で、言葉は僕らの心の中、頭の中にあるものではなく、僕らの「生活」全体を規定していることが明らかになります。

第5章　僕らは言語ゲームを生きている

辞書の中のメリーゴーランド

当たり前ですが、辞書には言葉の「意味」が載っています。

子供のころ、辞書で遊んだ経験がある方は多いと思います。

こんな遊びをしたことがないでしょうか。

い、い、い、い、い、い、い、い、

辞書の中のメリーゴーランドを見つけること――。

たとえば、「複雑」という単語の意味を明鏡国語辞典で調べてみると「物事がさまざまに入り組んで、簡単にはとらえられないこと」と書かれています。

次に、今ここに出てきた「入り組む」という語を引きましょう。すると「物事が複雑に絡み合う」とあります。

そこでさらに「絡み合う」を引いてみると、「いくつかの事柄が複雑にかかわり合う」と出てきます。

さて、お気づきでしょうか？　複雑↓入り組む↓絡み合う↓複雑……というふうに、言葉の意味が辞書の中でループしているのです。つまり、辞書の中で、言葉の定義が循環しているのです。

これが冒頭で述べた、「辞書の中のメリーゴーランド」です（この比喩は、人工知能の研究者、スティーバン・ハルナッドの論文に登場する表現をもとにしています）。

それにしても、よく考えてみると、モヤモヤしないでしょうか。

言葉の意味を教えてくれるはずの辞書の中で、言葉の意味がぐるぐる回ってしまっているのです。にもかかわらず、僕らは今挙げた「複雑」などの語の定義を読めば、その意味を理解することができる。実際、僕らは小学生のころは、新しい言葉の意味を理解するために辞書を引いてきましたし、それで何ら問題はありませんでした。

辞書というのは、すでに言語をある程度習得している人間が「言葉で言葉を理解する」ための書物です。だから、言語を習得する前の幼児に辞書だけを与えても、当然、言語を習得することなどできませんし、辞書を引くだけで第二外国語を習得することも不可能です。仮にやったとしても、それは辞書に載っている記号列を他の記号列に置き換えているだけで、その言語を理解してはいません。

僕らは子供のころ、言葉をまったく理解しない状態から、どこかの段階で「言葉によって言葉を理解する」という状態に移行したのです。だとすれば、言葉によって言葉を理解する以前の、いわば言葉の直接的な理解というものは何だったのでしょうか。僕らはいつ、どのようにして、辞書の中のメリーゴーランドに乗り込むことができたのでしょうか？

最も基礎的な言葉の意味は、辞書の外で理解したはずです。辞書の外とは、もちろん、さまざまな経験を通した学習です。

言葉を実地に学ぶ。他人との接触、世界との接触から直接的に言葉を学ぶ。

しかし、一体どうやって？

「窓」という言葉をどうやって覚えたのか

たとえば、「窓」という語の意味を僕らはどうやって理解したのでしょうか。

言語について徹底的に考え抜いた、20世紀を代表する哲学者のルートヴィヒ・ウィトゲンシュタインは次のように言います。

> 言語を教えるということは、それを説明することではなくて、訓練するということなのである。
>
> （『哲学探究』、第5節）

最初に思い浮かぶ「訓練」は、大人が窓を指差しながら「ま・ど」と発話して教え込むようなものだと思います。これを直示的定義といいます。実物を見せて、語と実物を結びつけてもらおうとするわけです。

たしかに、日本語を理解していない外国人に「窓」の意味を伝えるなら、それでもいいかもしれません。ですが、言葉をまだほとんど習得していない子供にはこれが不可能なのです。

なぜなら、指を差して言葉の意味を定義する（直示的定義）のでは、「何を指差しているのか」の解釈が無数に開けているからです。

窓を指差したとき、冷静に指を差しているものを見てください。それは（僕らの言葉で言えば）「外」という意味として把握される可能性もあるし、「透明」という意味、「四角いもの」「枠のあるもの」「空」「雨」「南向き」「明るさ」などとして逸脱して解釈される可能性もあります。

そんなことはあり得ないと思われるかもしれません。が、それは僕らがすでに多くの言葉を習得しているからです。

言語を習得しようとしている幼児は、「透明」「四角いもの」など今挙げたような「窓」以外の言葉もまだ知りません。だから、この言語習得の場面は、僕ら大人が外国語を学ぶプロセスとはまったく異なっています。他のあらゆる概念が準備されていない状況で、

「窓」の意味を教えなければなりません。それはちょうど、野球をまったく知らない人に、ある場面だけを見せて「これがファールだよ」と教えるようなものです。彼はきっと困ってこう尋ねるはずです――「え、〝これ〟ってどれのこと?」。

彼は、その選手が「ファール」という名前なのかと思うかもしれません。

同様に、母語をまだ獲得していない子供に直示的定義は成功しません。窓を指差したところで、そこで指されている先の一体何が「窓」なのかが分からないからです。

直示的定義を通して言語を習得したわけでもなく、言葉を使って説明されたわけでもない。

では、どのようにしてかというと、それは親や周囲の大人から「寒くなってきたから窓を閉めようね」「ほら、窓見てごらん、お月さま出てるね」といった（窓を閉める、外を見るといった）活動と言語的コミュニケーションが合わさったやり取りを通して、徐々に学習してきたのです。

つまり、「窓」という語がどのような生活上の活動や行為と結びついて使われているかという点に、「窓」の意味があるということになります。

> 記号の生命であるものを名指せと言われれば、それは記号の使用（use）であると言うべきであろう。

（『青色本』、27頁、強調原文）

野球を知らない子供が、野球のルールブックをつぶさに熟読して、徹底的に理解してからプレーを始める、ということはあり得ません。どうやるかというと、すでに野球を知っている友人、すなわち野球というゲームを十全にプレーできる誰かと一緒に、とりあえずやってみる、というところからスタートします。その中で「ストライク」「アウト」「ファール」「インフィールドフライ」「エンタイトルツーベース」といった概念を理解していきます。

というよりも、とにかく実践を通してやってみなければ「ファール」の意味は分かりません。つまり、言葉の意味は、それ単独では確定しないのです。

野球というゲーム全体の内部でのみ「ファール」は意味を持つ。野球というゲームの全体を把握している人間にしか「ファール」の意味は理解しえないということです。野球というゲーム全体に支えられて初めて一つひとつのルール、規則が明らかになっていくのです。そして、その場面では、ルールや規則がゲームに先立って明確化されているがゆえにゲームが成立するというのではなく、ルールとゲームの順序が逆転しています。

言語に話を戻すと、語の理解が確実にできているから、言葉を使えるのではありません。そうではなくて、その語を用いて他の人と共に滞りなくコミュニケーションが取れているから、語の意味が理解されているのです。
このように、実践を通してゲームが成立するがゆえに、事後的にルールというものがあたかもそこにあるかのように見える、というのがウィトゲンシュタインの主張のポイントです。
ウィトゲンシュタインは、そのようなゲームを「言語ゲーム」と名づけました。野球に限らず、将棋もチェスも、そして言語的コミュニケーションも、人間の営んでいるあらゆる活動が言語ゲームとなります（手を挙げればタクシーが停まるという制度も言語ゲームです）。

以後たびたび私が言語ゲーム（language game）と呼ぶものに君の注意をひくことになろう。それらは、我々の高度に複雑化した日常言語の記号を使う仕方よりも単純な、記号を使う仕方である。言語ゲームは、子供が言葉を使い始めるときの言語の形態である。言語ゲームの研究は、言語の原初的な形態すなわち原初的言語の研究である。

（『青色本』、45頁）

子供の言語習得の文脈に言語ゲームの端緒がありますが、言語ゲームの概念はその場面だけに限りません。

私はまた、言語と言語の織り込まれた諸活動の総体をも言語ゲームと呼ぶだろう。

（『哲学探究』、第7節）

僕らは他者との言語ゲームを通して、「窓」という言葉の使い方の規則を理解してきたのでした。

意味は心の中にあるのではない

ここまでの議論から導かれるのは、意外な結論です。

「窓」という語を理解したということは、窓という一般観念を、心の中、頭の中で摑《つか》んだということだと僕らは思っています。窓の本質、窓を窓たらしめている共通性質、窓と窓でないものを区別する規準のようなものを心の中に持つことだ、と。

ですが、言葉の意味がその使用そのものならば、意味が心に浮かぶ必要はありません。というよりも、心に浮かぶイメージや、一般観念というものは、意味理解において何ら本質的な役割を果たさないのです。「意味が分かった！」という感覚や、頭の中のイメージといった僕らの内側にある何かによって、言葉の意味理解が保証されているわけではないということです。そうではなく、野球であればちゃんとプレーができること、言語であれば言葉を使って他者とコミュニケーションが取れていることそれ自体が、理解していることの規準なのです。

要約すればこうなります――。意味は心の中にあるのではない。意味は言語ゲームの中にある。

他者の心の内側や頭の中を覗き見ることはできず、だから、相手が言葉の意味を本当に理解しているか否かを知ることはできない、と僕らはつい思ってしまいます。ですが、これは「理解」という語の誤用です。言語ゲームという視点から考えれば、これは「理解」という語の使い方が間違っているのです。どういうことか?

そもそも、「この子はまだ『窓』の意味を理解してないのではないか?」と疑念を持つのはどういうときでしょうか。この疑念は僕らの言語ゲーム、つまり僕らのコミュニケーションの場において、いつ発生するのでしょうか?

それはたとえば、子供に「窓を閉めて」と頼んだのに、その子が洗面所に行って手を洗ったりしてしまうという場面においてです。これは明らかに「窓」をめぐる言語ゲームからの逸脱を示しています。言語ゲームからの逸脱が発生する文脈において、初めて語の理解が疑われるのです。

つまり、本当に理解しているかを確かめようとするとき、そこですでに心の外、頭の外にある行為、振る舞い、つまり言語ゲームを前提としているのです。

僕らは多くのものが心の中、心の内側に存在していると考えてしまいます。ウィトゲンシュタインが攻撃するのはそのような心の特権性です。それはたとえば、「痛み」といった他人が感じることのできない私秘的に思えるものにも及びます。

「私が感じているこの痛みは、あの人が感じている痛みと同じ痛みなのか？」

そんな懐疑に囚われたことはないでしょうか。悲しみや喜びという感情でも、今目の前に見ているリンゴの色の知覚でもいいのですが、そういった「私とあなたの間で断絶しているように思えるもの」「互いの心の内側にあり、根源的に共有できないように見えるもの」に対する疑いです。

それらはすなわち、「私が『痛い』という言葉で表しているものと、あの人が『痛い』という言葉で表しているものは、本当に同じなのか？」という懐疑論です。

実は、これは問いが間違っているのです。

「彼は頭痛持ちなんだ」

この言葉の真偽をどう確かめたらいいのかと問いを立てた時に、果てしない哲学的懐疑に絡めとられるのです。なぜなら、その問いは彼の内側にある痛みそのものを正しく「記述」しているか否かという問いだからです。そしてそれは原理的に不可能です。

記述が正しいかどうかは、実物と照合して一致しているか否かを判断することによって決まります。ですが、それはできません。実物（彼の痛みそのもの）を取り出して比べてみることができないからです。

だから、「痛い」という語は何かの記述ではないのです。言葉は「心の中にある何か」の代理物ではないということです。ウィトゲンシュタインの言葉を引きます。

> 言葉は、言葉以前にある何か別のものの翻訳なのではない。
>
> （『断片』、191節）

> 「私は痛い」と言うことは、うめきと同様、ある特定の人間についての言明ではない。
>
> （『青色本』、121頁、強調原文）

記述や言明でないとしたら、僕らはどうして「痛い！」と声にするのでしょうか。つまり、「痛い！」という語は僕らの言語ゲームの中でどのような役割を果たしているのでしょうか？

それは、何らかの「対処を求めている」ということです。歯医者での治療中であれば、先生に一旦手を止めてくれ、もう少し慎重に歯を削ってくれ、あるいは麻酔を足してくれという「懇願」です。

僕らは目の前で「痛い！」と叫んでいる相手に向かって、本当にそうなのだろうか、確かめなければならない、とは考えません。

では、「彼は頭痛持ちなんだ」という三人称が主語の文は何を意味しているかというと、「同情」の身振りであるとウィトゲンシュタインは述べています。つまり、その文は記述ではなく、その発話自体が同情の態度そのものだということです。

> 同情は、他人が痛みを感じているという確信の一形態である。
>
> （『哲学探究』、287節）

「痛い！」という発話は、「それで言語ゲームが終わるのではなく、それとともに始まるのである」とウィトゲンシュタインは述べています（『哲学探究』、290節）。

結局、ウィトゲンシュタインの言語ゲームというアイデアは、僕らの言語的コミュニケーションが言葉と心の中だけで完結するものではなく、僕らの生活全体と合わさって機能しているという事実を僕らに教えてくれているのです。

ある意味では、ウィトゲンシュタインが示した言語観は僕らには馴染みのあるものかもしれません。

それは言霊《ことだま》です。

他者に触れることなく、他者を動かす。
他者から触れられることなく、自分が動かされる。

ウィトゲンシュタインが提案した言語ゲームという考えは、その意味では言霊論と言えなくもありません。ですが、これは何らマジカルなことを言っているわけではありません。言葉は心の中だけで閉じているわけではなく、生活の中の行為、振る舞いと不可分に組み合わさって流通するということです。生活から切り離された言葉は存在しません。ウィトゲンシュタインはこう書いています。

思考と生活の流れの中でのみ言葉は意味を持つ。

（『断片』、第173節）

痛みの概念は、それがわれわれの生活の中で果たす固有の機能によって特徴づけられる。

（『断片』、第532節）

このように、僕らの生活のすべては言語ゲームの中にあり、そのゲームから切り離された言葉というものは存在しないのです。

僕らはこの言語ゲームの中に閉じ込められている

しかし、この言語ゲームという視点からすれば、むしろ僕らはこの言語ゲームの中に閉じ込められているとも言えないでしょうか？

本当は彼は痛みを感じていないのではないか、と「疑う」ことができなくなってしまった。その疑いは言語ゲームが禁じるのでした。

第4章の「16時の徘徊」のエピソードを思い出してください。

その男性は、僕らが採用している言語ゲームの側から、母親の振る舞いを認知症による「徘徊」だと捉えていました。ところが、そこにはまったく別の言語ゲームが存在していたのです。そしてそれは、思いもよらないまったく別の言語ゲームだったからこそ、男性は母親とのコミュニケーションがうまく取れなかったのです。

母親は、子育てという言語ゲームの中にたった一人でいたのでした。たった一人でその言語ゲームを続けていたのでした。

だから、母親自身にとってそれは「徘徊」ではなく、子育ての言語ゲームの一コマとしての「幼い息子を迎えに行く」という行為だったのです。そのような言語ゲームだったからこそ、「息子さんは今日は帰ってきませんよ」という言葉に「そうだったかね？」と適切に返したわけです。こうして母親が一人で続けていた言語ゲームは家族に開かれていったのです。その言語ゲームのプレイヤーはもう一人ではありません。

このように、他者のことを理解できないのは、その心の内側が分からないからではありません。

その他者が営んでいる言語ゲームに一緒に参加できていないから理解できないと感じるのです。

あの介護職員は、母親が営んでいるまさにその言語ゲームを見事に探り当てることができたのです。男性はその職員に相談しなかったら、「徘徊」とはまったく別の可能性を疑うことができなかったのではないかと僕は思います。なぜなら、僕らの言語ゲームはその母親の振る舞いを「徘徊」と見なすからです。

「疑い」と言うとネガティブな印象があるかもしれません。が、そうではなく、それは「自身の言語ゲームに対する問い」なのです。

この言語ゲームで本当によいのか？　と。

他者と共に言語ゲームを作っていく

僕らが他者を理解できないのは、その人の言語ゲームが見えないからです。

僕らはしばしば「あの人の気持ちが分からない」「彼女が何を考えているのか分からない」などと口にします。

先ほどと同じ例を繰り返せば、これは野球のある一場面だけ見せられて「これがファールだよ」と言われても、野球を知らない人は何のことだか分からないのと同様です。いや、僕らはもっとたちが悪いのです。僕らは自分がすでに知っている手持ちの言語ゲームをその人にも当てはめようとします。サッカーをすでに知っている人は、野球において「これがファールだよ」と言われた場合、たった一場面だけを見て、手持ちの言語ゲームを参照し、「なるほど。つまり、禁止事項ということだな」と勝手に解釈してしまったとしたら、混乱は深まります。

それと同じで、他者のある振る舞いが理解できないのは、その振る舞いが位置づけられる言語ゲーム全体が見えていないからなのです。その振る舞いがどんな言語ゲームの一場面なのかが分からないということです。

だから他者理解において僕らがやるべきは、もっと長い期間、一緒にゲームに参加しながらゲーム全体を観察して「ファール」の意味を少しずつ学んでいくように、その他者がこれまでの人生の中で営んできた言語ゲームを少しずつ教えてもらいながら、一緒に言語ゲームを作っていくことかもしれません。ちょうど、僕らが幼いころ、「窓」という言葉を、言語ゲームに交ぜてもらいながら学んでいったように――。

他者と共に生きるとは、言語ゲームを一緒に作っていくことなのです。

第6章　「常識を疑え」を疑え

「常識を疑え」とは言うけれど

「常識を疑え」

テレビCMやビジネス書などで毎日のように目にするフレーズです。たしかに一見すると格好いい。熱っぽく語られれば、そうだな、常識なんて壊してしまえ、とつい思わされます。

しかし、「常識を疑え」というのは無理な注文です。

簡単に壊せるような常識なら、それは常識ではありません。単なる「ローカルルール」です。いわば学校の「校則」のようなものです。校則もたしかに一種の言語ゲームではありますが、学校の外とはつながっていません。校長先生が交代でもすれば、校則という言語ゲームは割とすんなり変更できるはずです。

ここでいう常識とは、もっと根源的なものを指します。

その破壊は、言語ゲーム全体の破壊を伴います。

常識を疑ったら、言語ゲーム全体が危機にさらされます。

常識を疑うというのは、「～なのは本当なのか？」とつぶやくことではありません。今、営んでいる言語ゲーム全体を否定するというあまりにも無謀なチャレンジなのです。どういうことか？

たとえばこんな常識です。

「3＋5＝8」

ある生徒がどうしても「3＋5＝8」に納得できず、これを疑ったとします。それも、徹底的に疑ったとします。3＋5は7でなければならないと言い張ったとします。

僕らは当然、その生徒を説得にかかります。

――ほら、天秤《てんびん》を見てごらん。3グラムと5グラムを置いた皿と、7グラムを置いた皿がつり合っていないでしょう。

「この天秤が間違っているかもしれないよ。もしかしたら先生が僕を騙そうとして、細工しているのかもしれない。そもそも『同じ重さのときに天秤がつり合う』ことが正しいのはどうやって証明されたんですか？」

――リンゴ3個とリンゴ5個を冷蔵庫に入れたら、8個になっているでしょう？　数えてごらん。

「リンゴが自然発生することがないとどうして先生は言えるのですか？　科学的に説明してください」

――ほら、「7リットル」と書かれた水槽に3リットルの水を入れてから5リットルの水を入れたら水槽の水がこぼれちゃうでしょう?

「そもそも水の体積に加法が適用できることはどうやって確かめたのですか? 分子構造的に、そこに体積の足し算が成り立つことが本当に確証されているのですか?」

――演算を行っているコンピュータはちゃんと作動して、計算をしているじゃないか?

「アメリカの陰謀です」

――3万円と5万円を入金したら、銀行口座の残高はほら、ちゃんと7万円じゃなくて8万円になっているじゃないか!

「銀行なんて、最初から信用できません」

つまり、その生徒は、間違っているのは「3+5=7」ではなくて、それ以外の周囲の命題である、と言い張ることになります。「重さが等しいとき天秤はつり合う」「物体が突然発生することも消滅することもない」「コンピュータは正しい計算をする」「銀行の残高は変化しない」という説明のほうだと。

ですが、これらを否定することは相当困難です。どう考えても、現実の生活との齟齬《そご》、矛盾が発生し、その不合理性が対処不可能なほど出現してしまうからです。

常識である「3+5=8」を疑ったがために、それ以外のさまざまな事実を否定しなければならなくなるのです。一つの常識を捨て去るために、それ以外の多くの事実が犠牲となってしまうのです。

僕らの信念は一つひとつが独立しているのではなく、互いに連関し、ネットワークを成しています。だから、ある一部分の改訂が他の部分にまで及んでしまいます。球技やスポーツであれば、一部のルール改訂は、ゲームそのものの変化を生んでしまいます。

常識とは「皆が知っている知識」のことではありません。そうではなくて、それを否定してしまうとその言語ゲーム全体が危機に陥るような、言語ゲームの基盤のことです。そして、基盤であるからこそ皆が知っているのです。

世界像を固定する

天秤の例を改めて考えてみましょう。

３グラムと書かれた分銅と5グラムと書かれた分銅を左の皿に置いて、８グラムと書かれた分銅を右の皿に載せたらちゃんとつり合った。では、このとき、この実験の中で一体何が確かめられ、何がテストされたのでしょうか。はたして、「３＋５＝８」という数学の命題が経験的に（実験的に）証明されたというのでしょうか？

そうではなくて、これは「天秤が正しく機能している」こと、あるいは「分銅に書かれているグラム数が正しい」ことが確かめられたのです。あるいは「同じ重さを置いたときにつり合うもの」という天秤の定義が確認されたとも言えます。天秤の意味と言ってもいいです。

逆に、つり合わないという矛盾が発生した場合は、「3＋5＝8」が間違っていたと証明された（つまり反証された）のではなく、「天秤が壊れているのではないか？」「分銅が摩耗で軽くなっているのではないか？」というように、疑いの目が「3＋5＝8」以外の面に必ず向けられてしまうのです。齟齬や矛盾、不合理性が発生した場合、疑いの対象から真っ先に外され、それ以外の部分が再検証の対象となります。そして、天秤をチェックしたり、分銅をチェックしたりすれば、そこに齟齬の原因が見つかるはずなのです。つまり、いつまで経っても、「3＋5＝8」は反証されないのです。

逆に言えば、発生した齟齬、矛盾という不合理性は、僕らに何かを教えてくれるのです。

つり合わない天秤は、たとえば「天秤の不具合」「分銅の摩耗」という隠されていた事実を教えてくれるのです。その不合理性は、いわば世界の側からのメッセージです。

> 科学的探究の論理の一部として、事実上疑いの対象とされないものがすなわち確実なものである、ということがあるのだ。

> 「3+5=8」はそれを疑わないことによって、新たな知識を獲得できるという意味において絶対確実な真理となる。
>
> （『確実性の問題』、第342節、強調原文）

重要なのは、天才的な数学者が証明したから真理となっているわけではないという点です。

僕らは、真理や絶対確実な知識というものを、徹底的に検証されたもの、証明されたものだという考えを持っています。ですが、ウィトゲンシュタインが切り開いた真理観は、「疑いの不在」という意味の確実性でした。

「疑うことができない」という疑いの根源的な不在によって、それが正しいとされるのです。

> 数学的命題には、いわば公式に、反駁《はんばく》不可能のスタンプが押されている。すなわち、「異議はほかの命題に向けよ。これは君の異論の支えになる蝶番であり、動かすべからざるものである」と。
>
> （『確実性の問題』、第655節、強調引用者）

われわれが立てる問題と疑義は、ある種の命題が疑いの対象から除外され、問や疑いを動かす蝶番《ちょうつがい》のような役割を果たしているからこそ成りたつのである。

われわれがドアを開けようと欲する以上、蝶番は固定されていなければならないのだ。

（『確実性の問題』、第341節、第343節、強調原文）

常識とは、さまざまな探究や思考を行う（ドアを開ける）ための固定点、「蝶番《ちょうつがい》」なのです。そして、その蝶番の正しさは、扉をうまく開け閉めできることによって示されます。

だから、ある意味では、「3＋5＝8」が絶対確実なのは、僕ら人類全体の共同作業の結果と言えます。僕らがこの命題を使用する言語ゲームを行っていて、いまのところ、解決不可能な齟齬が発生していないからこそ、これが真理として登録されているのです。

ウィトゲンシュタインはこのような機能と性質を持つ命題を「世界像」と呼びました。それは、僕らの言語ゲームにおける「疑うことがそもそもできない」ものの総称です。僕らが鵜呑《うの》みにし、それに基づいて判断したり、思考したりする常識の総体が「世界像」

です。つまり、言語ゲームを成立させる前提としての知識の総体を指します。世界像という常識の総体は問われることなき前提です。適切な探究や思考が可能となっている事実によって、世界像がそこにたしかに存在し、きちんと機能していることが示されるのです。
先ほどの生徒のような人に対して、ウィトゲンシュタインはこう言います。

すべてを疑おうとする者は、疑うところまで行き着くこともできないであろう。疑いのゲームはすでに確実性を前提としている。

（『確実性の問題』、第115節）

つまり、「３＋５＝８」や「重さが等しいとき天秤はつり合う」という世界像を疑っていては、「天秤の不具合」「分銅の摩耗」という事実にいつまで経ってもアクセスできないということです。世界像はそれ自体が証明されたわけではなく、言語ゲーム全体によって蝶番としての確実性を有しているのです。

先ほど、ウィトゲンシュタインの引用の中に、「科学的探究の論理」という言葉がありました。もう少し具体的に、それは何なのでしょうか。
科学とはまさに、世界からのメッセージ（＝この世界に隠された事実からの声）を聴きとる知的営みです。

いくつかの科学上の発見を見ることで、そこに「想像力」のヒントが隠されていることが分かります。

メンデレーエフの孤独

元素周期表というものを見たことがない人はいないと思います。

理科や化学の授業で、教室や教科書で目にしたH（水素）、He（ヘリウム）、Li（リチウム）、Be（ベリリウム）から始まる、あの元素の一覧表です。

化学者のドミトリ・メンデレーエフが１８６９年に元素周期表を初めて発表したとき、その表には空欄がありました。

元素周期表は、当初、Ga（ガリウム）、Sc（スカンジウム）、Ge（ゲルマニウム）などの元素が欠けた状態で発表されました。

周期表には穴が開いていた、と聞いて、「まあ、時代が古いんだから、分からなかった元素、発見されていなかった元素もあったんだろう」と思われるかもしれません。

でもよくよく考えてみると変なのです。

どうして、その空欄に何かの元素が入ると、表全体の発見前に分かったのでしょうか？

なぜ「表のここにあるはずの元素が無い」と分かったのでしょうか？

メンデレーエフは、当時すでに発見されていた63種類の元素をまとめ上げる以上のことをしました。他の元素との類似性や反応性そして原子量（炭素原子一つを12としたときの相対的な質量）の周期的な規則性（周期律）をもとにして、元素の欠落に気づいたのです。メンデレーエフは、元素周期表が何を根拠に、そしてどのような考えに基づいて発見されたのかと問われたとき、こう答えました。

私自身の考えはいつも、物質、力、精神をわれわれはその本来の形または分割した形で理解することはできない。それらが不可避的に結合された現象においてはじめて研究することができる。その現象の中には固有の永遠性のほかに、その理解しうる、共通した独自の徴候、あるいは性質があり、これをあらゆる方法で研究しなければならない――という点にあった。

（『メンデレーエフ伝』、96-97頁、強調引用者）

しかし、メンデレーエフの欠落のある周期表が発表された当時は、「邪道の化学」「無益な思索」「ただの憶測にすぎない」という酷評ばかりでした。メンデレーエフはそんな周囲の化学者たちの反応が理解できなかったようです。つまり、メンデレーエフの周期表は、この時の化学界の常識には反する主張だったようです。それゆえ、大批判を浴びていたわけです。

メンデレーエフは論文の中に次のような嘆きの言葉を残していたといいます。

> いままでわれわれは未知の元素の性質を予言するなんの手がかりももたず、その元素のどれが足りないか、あるいは存在しないかを推測することさえできなかった……。ただの偶然の機会、格別の洞察力、観察力によって新元素を発見するしかなかった。新元素を理論的に発見することには、ほとんど関心がなかったため、最も重要な化学分野、すなわち元素の研究に意欲を向ける化学者はまことに少なかった。
>
> （『メンデレーエフ伝』、115頁）

メンデレーエフの評価が一変するのは、「エカアルミニウム」（エカは「ひとつ下」という意味。周期表を見るとその意味が分かります）とメンデレーエフが名づけて予言していた元素Ga（ガリウム）が見事に発見された瞬間でした。

メンデレーエフは周期表の発表の後、Ga（ガリウム）、Sc（スカンジウム）、Ge（ゲルマニウム）の三つの未発見の元素については、原子量や反応性だけでなく、密度や沸点といった化学的な数値まで（さらには元素の色まで）詳細に算出し、予言していました。

エカアルミニウムつまりGa（ガリウム）は、周期表の発表から６年後の１８７５年にボアボードランという化学者によって発見されました。

その発見の事実を知ったメンデレーエフは、ボアボードランが観測したガリウムのデータを見るやいなや、すぐさまそのデータの誤りに気づきました。ガリウムそのものを目にすることも、触れることもなく――。

「最近ボアボードランが発見してガリウムと名づけた元素は、発見方法（スペクトル分析）からも、観測された性質からも、私が４年前にその性質を示したエカアルミニウムと一致する」

化学協会の会議でそう述べたあと、ボアボードランに手紙を出しました。

その手紙には、「ガリウムの原子量と密度が私の予言と違うのだから、測定のどこかにミスがあるはずだ」という趣旨の内容が書かれていました。

当然、ボアボードランは憤慨します。自分こそが新元素ガリウムの発見者であり、測定してきちんとデータを出したのに、ガリウムを手にしたことも見たこともない化学者がいきなり割り込んできて、データが間違っている、訂正しろと指摘されたわけですから。

メンデレーエフは、ボアボードランの測定した密度4・7は間違いで、正しくは5・9〜6・0だと指摘しました。

ボアボードランは助手と共に実験のやり直しを行い、数か月後に密度がメンデレーエフの予言と完全に一致していることを確認して、心底驚いたといいます。

そして、メンデレーエフの予言通り、その後スカンジウム、ゲルマニウムも発見されました。

実に痛快なエピソードです。

常識は科学的探究を生む

第4章で、不合理性の持つ力という話をしました。「贈与は僕らの前に、必然的に不合理なものとして現れます」と言いました。そして、質の良い矛盾は人を動かす力を持っていて、どこか未知の場所へと通じるドアでもある。そう書きました。

科学的探究の文脈においても、不合理性は探究を前に進める力となります。

メンデレーエフが行ったのは、まさに不合理性を足掛かりにして進む探究でした。

おそらく彼は、すでに見つかっている63の元素を規則的に並べてみた時に、その不合理性に気づいたのだと思います。現在発見されている63の元素だけでは合理性に欠けている。周期「律」という法則性、合理性に反していると。

そのような不合理性を感知したからこそ、周期表に空欄を設けることができたのです。

そしてまた、ガリウムそのものを測定することなく、周期表という秩序への絶大な信頼をもとに、ボアボードランを論破しました。ボアボードランのデータは、メンデレーエフからすれば自らの理論の反証例そのものです。ですが、メンデレーエフは「測定のほうが間違っている」という推論を行いました。

これは先ほど論じた世界像の機能です。「周期律」が疑いから免れ、測定のほうが間違っていると推論したのです。

未来と同時に過去にあるもの

メンデレーエフの周期表発見のように、なぜ予言は、それが正しかったと明らかになったとき、人々を驚かせ、その主張の正当性が高く評価されるのか?

それは、その予言や予想を行った者が未来を見てしまったからでしょう。

メンデレーエフは、発見の前に、発見後の未来を先取りして、あたかもその元素が発見された未来の世界を見てきたかのような正確な予測を述べました。

先に引用したメンデレーエフの言葉に「永遠性」という表現がありました。

ここに逆説があります。

発見されるのは未来であるが、その発見される当の事実は僕らの発見よりはるか昔から世界の内に存在していた。

これは112ページで見た、「贈与は未来にあると同時に過去にある」と同じ構造です。

だから、僕らは何かに気づいたとき「そうだったのか」と過去時制を口にしてしまうのです。

予言は「未来」に対する言及であると同時に、発見より前に存在していた「過去」に対する言及でもある。メンデレーエフはそれを「現象に固有の永遠性」と名づけたのでしょう。

「血液の循環」の発見

このように、不合理性を合理性へと回収することで、まったく新たな発見に至るという事例は科学史の中で頻繁に登場します。

現代人の中で、心臓のポンプの役目によって血液が循環しているという事実を知らない人はいないと思います。

ですが、血液が循環することが発見されたのは、17世紀に入ってからでした。

近代生理学の父ウィリアム・ハーヴェイが１６２８年に発表した著書『動物の心臓ならびに血液の運動に関する解剖学的研究』によってです。

それまで血液はどのようなものとして捉えられていたかというと、当時の常識では、血液は食物をもとにして肝臓で作られ、体中に運ばれ、その末梢組織で消費されると考えられていました。つまり、血液は肝臓という中心で発生し、手や足などの末端で消えてなくなるという一方向的な流れとして把握されていたのです。

ハーヴェイはさまざまな動物の心臓の解剖を行い、つぶさに心臓の機能と血液の行方を調べました。その中で、ハーヴェイはある重要なことに気づきます。

ヒトの心臓の容量を測定し、脈拍の度に心臓から排出される血液量を正確に算出したところ、結果は驚くべきものでした。

心臓からは１時間当たり約２４５キログラムの血液が送り出されていたのです。

１日に換算すると、約６０００キログラム。

人間の体重の１００倍にものぼる大量の血液が、毎日身体の中で作られ、末端で消費されて消えていくはずがない。

不合理だ、これは常識と明らかに矛盾する——。

どう考えればこの事実が説明できるか？

血液が肝臓で作られ、消費されるという図式ではなく、体中を「循環」しているとすれば説明がつく。

そのようにして、血液循環の事実が発見され、その後、別の学者によって「毛細血管」の存在が明らかになり、血液循環の理論が裏づけられました。

ハーヴェイもまた、「1日当たり約6000キログラムの血液の生産」という不合理性に正しく反応したというわけです。そして、その「説明のつかなさ」という不合理を合理性に回収するために、血液が循環しているという事実にたどり着いたのです。

科学革命の構造

科学の歴史をひもとくと、その当時の科学の枠組みがガラリと変わる場面がいくつも見られます。

最たる例は、地球が世界の中心であるとする天動説というパラダイムから、地球は太陽の周りを回っているという地動説へと移り変わったいわゆる科学革命（パラダイムシフト）です。あるいは、アインシュタインの相対性理論やダーウィンの進化論の登場などもパラダイムの変更《シフト》として語られることが多い事例です。

科学史家のトマス・クーンは『科学革命の構造』という有名な著作で、科学のパラダイム論を展開しました。

そこで述べられているのは、言ってみれば「科学という言語ゲームはどのようなゲームなのか？　そして、そのゲームはどのようにして他のゲームへと移行《シフト》していくのか？」という問いをめぐるものでした。

クーンは、科学における枠組み、科学者の共同体が有する科学的常識の総体を「パラダイム」と呼びました。また、「一連のルールによって行われるゲームから、ふとしたはずみで他の種類のルールが生まれる」（『科学革命の構造』、58頁）というウィトゲンシュタイン的な比喩を用いて述べています。

アノマリーとは何か

クーンのパラダイム論の中で重要なのは、「アノマリー」（変則性、変則事例）という概念です。

アノマリーとは「（科学的）常識に照らし合わせたとき、うまく説明のつかないもの」一般を指す言葉です。

> 発見は、変則性（アノマリー）に気付くこと、つまり自然が通常科学に共通したパラダイムから生ずる予測を破ることから始まる。
>
> （『科学革命の構造』、59頁）

ハーヴェイが見出したのは、心臓と血液に関するアノマリーだったと言えます。「1日当たり約6000キログラムの血液の生産」というアノマリーです。

そして、アノマリーがなぜ重要かというと、アノマリーは多くを語ってくれるからです。

実際、ハーヴェイはそれがアノマリーだと正しく気づいたからこそ、そのアノマリーを説明可能、解釈可能な枠組みとして血液が循環しているという事実を発見することができました。

そして、もう一つ重要なことがあります。クーン自身が指摘していることですが、パラダイムという枠組み、つまり科学者たちの常識の総体が存在しなければ、そもそもアノマリーが発生することができないという点です。

> 変則性（アノマリー）はパラダイムによって与えられた基盤に対してのみ現れてくる。そのパラダイムがより正確で、より徹底したものであればあるほど、変則性（アノマリー）をより敏感に示すことになり、そしてそこからパラダイムの変更に導くのである。
>
> （『科学革命の構造』、73頁）

なぜいきなりクーンを取り上げたかと言うと、本書でこれまで「齟齬」「矛盾」「不合理性」などと呼んできたものを「アノマリー」と術語化するためです。

科学史が明らかにしているのは、「アノマリーには情報が詰まっている」ということです。

アノマリーには、それがアノマリーとして出現するだけの原因や理由がある。だからアノマリーを説明しようとする過程で、発見できていなかった事実を詳らかにすることができるのです。

言語ゲームの中に閉じ込められている効用

さて、アノマリーという術語が用意できたので改めて語りますが、「3＋5＝8」の事例にもアノマリーが登場しています。

つ、り、合、わ、な、い、天秤です。

つり合うはずの天秤がつり合わない、というアノマリーが発生した場合、僕らは「3＋5＝8」を疑うのではなく、天秤の不具合、分銅の摩耗のほうをチェックすべきでした。「3＋5＝8」という世界像、常識が僕らにそれを命じるのです。これは言語ゲーム（科学の場合であればパラダイム）が存在するからこそ可能となる探究です。

第5章の最後の節で「僕らはこの言語ゲームの中に閉じ込められている」と言いましたが、悪いことばかりではもちろんなかったのです。常識の枠組みに閉じ込められているからこそ、世界像が機能し、探究が可能となり、新たな知識が獲得できるのです。

逸脱的思考と求心的思考

クーンは他の論文において、「逸脱的思考」「求心的思考」という二つの思考法について論じています。

逸脱的思考とは「最も〝自明な〟事実や概念であってもそれを必ずしも受け入れることなく、逆に最もありそうもない可能性について想像力を発揮するほどまでに、偏見から解放されていなければならない」（『科学革命における本質的緊張』、282頁）という側面を表す言葉です。

たしかに、偏見から解放されているというのは僕らが思い描く偉大な科学者のイメージと一致しています。

簡単に言えば、逸脱的思考とは、いわゆる「常識を疑え」という主張と符合するような知的活動のことです。

コペルニクス、ガリレオ、アインシュタイン、ダーウィンの業績は、しばしばそのような「柔軟性や解放性をまさに要求する」逸脱的思考の例として語られます。

しかし、クーンは逸脱的思考と同様に、あるいはそれ以上に、「求心的思考」の重要性を説きます。

私は科学革命は科学発達の二つの相補的側面のうちの一方であるにすぎないことを強調せねばなりません。（…）通常科学はその最良のものすらが、科学教育の中で習得され、それに続く専門家集団での生活の中で補強された安定的合意の上に固く基礎づけられた高度に求心的な活動なのです。

（『科学革命における本質的緊張』、284頁）

これがアノマリーの発生から始まる探究を指します。

つまり、思考の枠組みがある程度強固なものでなければ、そもそも問いを立てることができないということです。

パラダイムという「地」があって初めて、アノマリーが「図」として現れる。

平たく言えば、僕らの常識があるから、その常識から逸脱したアノマリーに気づくことができます。

求心的思考とは、常識の枠組みのほうを疑うのではなく、それを地として発生するアノマリーを説明しようとする思考のことです。

これはウィトゲンシュタインの世界像によって可能となる科学的探究の論理と通底しています。

「求心的思考」という語をクーンは科学的探究の文脈においてのみ用いています。ですが、本書ではこれを、科学以外の僕らの日常の場面まで拡張して用いていきたいと思います。

では、日常における求心的思考とは何か？

シャーロック・ホームズの求心的思考

求心的思考を巧みに用いて探究を進める人物。それが、コナン・ドイルが生み出したシャーロック・ホームズです。

「あなた、アフガニスタンに行ってましたよね？」

シリーズ最初の作品「緋色の研究」で、ホームズが相棒となるワトソンと初めて出会う場面は、このホームズの有名な問いかけから始まります。

「どうして分かったのですか？」と困惑するワトソン。それ以上答えないホームズ。

誰かに聞いたんだろうと詰め寄るワトソンに、ホームズは推理の過程を明らかにします。

この紳士は医者のようだが、軍人タイプでもある（アノマリー①）。よって軍医。
顔は日に焼けているが手首は白いから、生まれつきの色黒ではない（アノマリー②）。
顔がげっそりやつれていて、動き方の不自然さから左腕を怪我している（アノマリー③）。

近年イギリス軍が関わった激しい戦闘で、かつ、日焼けするほどの地域はアフガニスタンのみ（常識、確実な知識）。

つまり、イギリスの軍医がひどい苦労をして、腕を怪我するような熱帯地域といえば、アフガニスタンしかない――。

このような思考のプロセスであるとワトソンに教えるのです。

軍医、日焼けあと、やつれ、怪我。通常のイギリス人であれば持っていないはずのこうした特徴、つまりアノマリーを、常識に照らして統一的かつ合理的に回収できるのは「アフガニスタン帰り」という理路しかない。

また、長編第2作の『四つの署名』では、ワトソンの持っている懐中時計を渡され、それで何が分かるかと問われたときも、懐中時計の裏蓋に彫られたイニシャル、側面の傷、質入れした証拠の刻みつけられた番号、ねじ巻き穴の傷、高価な懐中時計というアノマリーから、ワトソンの兄についての顚末《てんまつ》をあれこれ的中させます。

ホームズの推理に共通するのは、「アノマリーの列挙」と「常識、確実な知識」の組み合わせによって、隠された謎を解くという方法論です。

『緋色の研究』で、ホームズは次のように持論を語ります。

> いつかも話したように、異常なこと（what is out of common）というのは手がかりにこそなれ決して推理のじゃまになることはない。こうした問題を解くときに一番重要なのは、言うなればあと戻りの推理ができる能力だ。これは実に有効で、しかもかんたんな方法なんだが、世間じゃあまり活用されていないね。日常生活では未来へ向かって推理するほうがはるかに役立つ場合が多いから、過去へあと戻りする推理のほうはどうしてもなおざりにされてしまう。
>
> （『緋色の研究』、206頁、強調引用者）

「異常なこと」とは、通常では起こりえないことが起こる、あるいは起こってしかるべきできごとが起こらないことを指しています。これこそアノマリーです。

ここで重要なのは、このプロセスは未来予測ではなく、今はもう存在しない過去を掘り起こすものである点です。

ホームズはそれを「過去へあと戻りする推理」であり、「未来へ向かって推理する」のではないと言っています。

だから、アノマリーとは「過去」からのメッセージだったのです。

そのアノマリーの中には、過去の情報が畳み込まれている。

その情報を正しく読み解くには、そのアノマリーをとり巻く常識の総体を知っている必要があります。

また、「異常なこと（what is out of common）という手がかり」とは、先に引用したクーンの「発見は、変則性（アノマリー）に気づくこと、つまり自然が通常科学に共通したパラダイムから生ずる予測を破ることから始まる」という言葉とも共通します。

さらに、「理論家は、たとえば一滴の水を見ることによって、自分の見たことも聞いたこともない大西洋やナイアガラの滝の存在を推理できる」（『緋色の研究』、35頁）というホームズの言葉は、ガリウムを予言したメンデレーエフを思い起こさせます。

アノマリーの検出には、合理性という基盤、常識的知識という足場が必要となります。

アノマリーに気づき、それを読み解くために、ホームズがどれくらいの常識的知識を蓄えているかを物語る会話が「ボヘミアの醜聞」に出てきます。

ホームズが推理の種明かしをされたワトソンが「ぼくの目だって、きみと同じくらいにはいいはずなんだが」とぼやくと――。

「きみは見ているだけで、観察していないんだ。見ることと観察することとは、まるっきり違う。たとえば、玄関からこの部屋へ上がる階段を、きみは何度も見ているね」

「ずいぶん見ている」

「何度くらい？」

「そうだな、何百回と見ているな」

「じゃあ聞くが、何段ある？」

「何段かだって！　そんなの知らないな」

「そうだろう！　観察していないからだ。見るだけは見ているのにね。ぼくの言いたいのはそこなんだよ。ぼくは十七段だということを知っている。見るだけでなく、観察もしているからだ」

（「ボヘミアの醜聞」、15-16頁、強調引用者）

贈与と求心的思考

さて、本章では求心的思考について述べてきました。なぜこれが贈与と関係しているのかと言うと、「16時の徘徊」を分析する道具だったからです。

振り返ると、あの介護職員は、認知症に関する専門的な「常識」を有していたはずです。だからこそ、介護職員の目には、毎日決まって「16時」に徘徊することが正しくアノマリーに見えたのです。ここに何かがある、と。

ホームズの言葉を借りれば、見るだけでなく観察できたのです。

贈与の差出人は名乗ってはならないということは、裏を返せば、贈与の差出人は名乗ってくれないということです。

ですが、「届いていた手紙」は必ず痕跡を残します。

届いていた手紙が残す痕跡、それがアノマリーという形で出現するのです。

メンデレーエフ、ハーヴェイ、シャーロック・ホームズがそれに気づいたように、そこに不合理な贈与があるのであれば、アノマリーを残してくれます。

求心的思考は、贈与を受け取るための能力だったのです。

そして、そのような能力が僕らには備わっている。

それを示すために、言語ゲーム、世界像、アノマリーに求心的思考と議論をつないできたわけでした。

第7章 世界と出会い直すための「逸脱的思考」

SF的想像力＝逸脱的思考

第6章では、求心的思考というものを考えました。単に「思考」と言わずに「求心的」という形容詞をつけたのは、もう一つ別の種類の思考を考えてみたかったからです。クーンの用語を再び借りて、それを「逸脱的思考」と呼んでみたいと思います。

求心的思考／逸脱的思考、この二つを合わせて「想像力」と呼ぶことにします。

逸脱的思考。それはたとえば次のような物語を生み出す想像力です。

ある夜、地震が発生した。

空に青白い閃光が走り、辺り一帯が停電になった。

30分以上たっても一向に電力は復旧せず、電力会社に電話をかけようとするとなぜか回線が切れている。電話局は予備電源を持っているのだから、電話が使えないのは停電とは関係ないはずだ。情報を得るためにラジオを点《っ》けようとしたが、これも点かない。寒さもあってガスストーブを点けようとしたがやはりダメだった。送電網と関係のない乾電池や自動車まで、あらゆる電気系統がなぜかショートしていた。

近所に住む人たちと話しても、同様のことが起きているらしい。寒さと不安の中、人々は夜が明けるのを待つしかなかった。

テレビもラジオも使えなくなった状況で、具体的な情報は一切得られない。

どこか普通の地震や停電ではないと感じながらも、あと少しで夜明けの時刻になる、夜が明ければ解決するだろう――。

そうは言いながらも、家を出て国道までの真っ暗な道を歩いていた。そこで自転車に乗った二人の男性に話しかけられた。彼らは30キロ以上先にある港まで行こうとしているという。

「夜が明けてから行かれてはどうです」

「どうせ、もうじき、東が白《しら》んでくるし……」

そう話すと、自転車の二人は顔を見あわせて黙り込んでしまった。

それは異様な黙り込み方に見えた。

「私たち、この先の丘の上にある天文台のものなんですが……」

「星をごらんになりましたか？」

そう言われた主人公は夜空を見上げ、彼らからある事実を告げられる。

今、時刻は午前５時37分。

「しかし、あの星座の位置は、昨日の午後11時半ごろの位置です……」

星座の位置は、昨夜の地震の発生時の位置のままだった。

星々がまったく移動していなかった。

星の運行の停止。

それはあまりにも不気味な事態を示唆していた。

「地球の自転」の停止。

そう考える他なかった。

さきほどの地震も電気系統のショートも、その影響だったのか？　もし本当に自転が停まったのだとしたら、もう二度と夜が明けることはない。陽の当たらない地球のこちら側は温度がこのままどんどん下がっていき、逆に太陽にさらされている側は温度が上がっていく……。

停電、暗闇、寒さ、不安。

それらは夜が明けさえすれば無くなるはずだ、とさっきまでは思っていた。

「こうやって……待っているうちに……いずれ——夜が明けたら」


これは日本三大SF作家の一人である小松左京の短編「夜が明けたら」のプロットです。

この作品が非常に巧妙なのは、情報がまったく入ってこない中で、この異様な状況の真相を登場人物たちに気づかせるために「星座の移動の停止」を描いた点です。

本作では、「星座の停止」という通常では起こりえない現象、つまりアノマリーの発見が決定打になり、状況が一変し、主人公たちは事の重大さに気づきます。つまり地球の自転という「常識」が反証されてしまったのです。

　この決定打の手前で、地震、謎の閃光、停電、復旧しない送電網、あらゆる電気系統のショートなどの不気味なアノマリーの蓄積があったからこそ、最後の大きなアノマリーによって、「地球は自転する」という常識、つまり世界像に疑いの目が向けられ、そしてその否定へと至るのです。

逸脱的思考は世界像を破壊する

　通常の文脈、つまり僕らの実際の言語ゲームの中では、「地球の自転」は疑いえない常識、すなわち世界像となっています。もしそれを本気で疑う人、認めない人がいたとしたらそれは「地球」や「自転」という言葉の意味が分かっていないのではないか？　というように、言葉の理解に対する疑いへとスライドしてしまいます。

　たしかに、僕らは宇宙に出て、自分の目で地球が自転するさまを見たわけではありませんから、その根拠は？　と問い詰められたら、きちんと説明できないかもしれません。

　多くの人にとって「地球の自転」は、教科書でそう習ったものでしかありません。でも絶対に正しい。

　これを正しいものとして採用していることが僕らの言語ゲームの基礎をなしています。というより、それを鵜呑みにすることによって僕らの生活、すなわちさまざまな言語ゲームが成立しているのです。

これを改めて説明します。

地球の自転を認めないということは、天文学や物理学の理論やその成果を認めないことを意味します。そういった科学が疑わしいということになれば、当然、人工衛星の存在を認めることが難しくなります。

そうなると、カーナビなどの通信機器がどうやって機能しているのか、あるいはなぜ天気予報が高い精度を持っているのかなどが説明できなくなります。それでも「地球の自転」という常識を拒む場合、「それらすべてはある巨大な組織の陰謀だ」というような、僕らから見れば強引な合理化しか残されていません。

このように、たった一つでも世界像を否定してしまうと、それは必ず言語ゲームの他の箇所にも波及します。生活上のあらゆる側面に支障が出ます。それくらい僕らの言語ゲームは広範囲にわたっているのです。広範囲であると同時に、それがうまく整合的につながっているのです。

このように、「世界像を認めない」というのは、かなりリスキーなのです。

だから、常識を疑え、というのは無理な注文なわけです。

また、「地球の自転」という世界像はそれ自体を僕ら一人ひとりが確かめることができたから正しいというのではなく、それを認めることでそれ以外のさまざまな現象が理解可能となりすべての辻褄《つじつま》が合うからこそ、疑うことができない――という意味での「確実性」を持つのでした。

だから、そんな世界像を疑うとＳＦになる。

小松自身、ＳＦの最初の簡単な定義は「現実にはないこと」を描く小説だと述べ、それは「常識では考えられないこと」「普通でない、異様・異常なこと」を描くものだとしています。そこから小松は、ＳＦを「異様な状況に置かれた平凡な人間の物語」「日常的な状況で、異様な人物が登場する物語」「日常的な人や世界が、次第に異化していく物語」という類型に分けています（『小松左京のＳＦセミナー』、集英社文庫、１９８２年）。

また、日常性から離れていって次第に異様なものへと姿を変えていくという異化は、「常識に対する小さな疑問」「論理の歯車を一つだけ飛ばしてしまう」ことで簡単に得られるとも述べています。

これは非常に重要な指摘です。

なぜ「小さな疑問」「一つの論理の歯車」だけでいいかというと、第5章と第6章、あるいはさきほど見てきたように、その破綻が言語ゲーム全体へと波及してしまうからです。それくらい僕らのコミュニケーションあるいは言語や認識は「ネットワーク性」「全体性」を有しているのです。

実際、先の「夜が明けたら」は、地球の自転という歯車を止めただけです。たった一つの歯車を狂わせただけで、僕らの日常は激変し、悪夢へと変わってしまうのです。だから、ＳＦはそんな世界の歯車を狂わせる物語形式なのです。

さて、「逸脱的思考」とはＳＦのように僕らの世界像を書き換える想像力のことでした。では、なぜそのような異化された世界を描くＳＦという文学形式を僕らは持っているのでしょうか？

言い換えれば、僕らにとって、逸脱的思考とはどのような機能を持ち、どのような意義があるのかという問いです。

逸脱的思考にもとづくＳＦは、単なるエンタテインメントとしての文学形式にすぎないのでしょうか？

逸脱的思考は根源的問いかけを持つ

三大ＳＦ作家のもう一人である星新一は（ちなみにあと一人は筒井康隆です）、ＳＦの意義は「根源的問いかけの日常化」にあると述べています。そして、それこそがＳＦの命であるとも。

星によると、日常化とは、「投石やゲバ棒とともにでなく、それを娯楽化して提供する」ということです。どういうことか？

> いま私がかりに駅前広場に立って「原爆反対」と絶叫したら、人々はどう反応するだろう。変な目で見られるか無視されるかのどちらかだろう。
>
> （…）
>
> アメリカのＳＦ作家ロバート・ブロックが「こわれた夜明け」という短編を書いている。核戦争のあと死の灰がただよい、もはやどこにも逃げ場はない。その燃えるビルのなかで、軍司令官が「わが国は勝ったのだ」と満足の笑い声を上げている話である。これを読み返すたびに、私はいつも絶望的な気分になる。ブロックは一流作家と評価もされていず、反戦主義者でもないのだが、私に核戦争の恐怖を感じさせる点で、この一作は百万人の絶叫にまさっている。
>
> （『きまぐれ博物誌』、１２２頁、強調引用者）

　ある主張が仮にどれほど正しく、合理的で知性的な判断だとしても、それを大声で叫べば相手を納得させられるかというとそうではありません。というよりも、たとえどれほど正しかったとしても、大声で叫べば叫ぶほど、聴衆に対して「これが分かっていないお前は間違っている」というメッセージを送ってしまいます。それでは聴衆をこちら側に誘うことはできません。

だから、その短編が読者に恐怖を感じさせる力を持っている点で「百万人の絶叫にまさっている」と星は言うわけです。

SFというエンタテインメントが提示する根源的な問いかけの日常化——。

たしかに、SFという小説なら、通勤の電車の中でも、寝る前のほんの少しの読書の時間でも、そのような根源的問いかけをエンタテインメントとして受け取ることができます。

「夜が明けたら」が問うもの

では、「夜が明けたら」は何を問いかけているのでしょうか。なぜ地球の自転を止めたのでしょう?

僕らがこの世界と出会い直すためです。

世界の論理の歯車がたった一つ狂うことで、この世界全体が悪夢へと簡単に変わってしまうことを教えるためです。

それはつまり、この世界が安定し、昨日と同じような今日がやってくるのは必然ではないことを伝えるためではないでしょうか。

昨日と同じ今日がやってくるためには、実は多くの前提が隠されている、と。

だからそれは、一般化するとこうなるはずです。

破局が起こる前に、破局を見ること。
災厄が訪れる前に、災厄を経験すること。
これが、日常性を異化させる逸脱的思考の効果に他なりません。
それをエンタテインメントとして日常化するのがＳＦだったのです（もちろん、すべてのＳＦがそのような悲劇や悪夢を描いているわけではありません。が、小松左京の作品群にはどうもそのような志向性がある気がするのです。これについては次の第８章でふたたび取り上げます）。

あるいはＳＦの機能、すなわち逸脱的思考の機能をこう表現することもできます――僕らが忘れてしまっている何かを思い出させること、忘れてしまっているものを意識化させること。

地球が自転していることはもちろん皆が知っています。ですが普段それを意識することなどまずありません。というよりも、常識だからこそ僕らはそれを忘れてしまうのです。それは常識つまり世界像がもつ機能ゆえです。

世界像は、日常の中で疑われることがありません。そして、疑われることが決してないからこそその存在が意識化されることがないのです。それは、僕らの言語ゲームの暗黙の前提なのです。

ＳＦという逸脱的思考は、僕らの言語ゲームの前提を僕らに思い出させることができるのです。世界像そのものを疑う逸脱的思考は、僕らが構造的に見落としてしまうものを可視化する装置だったのです。

SFとしての『テルマエ・ロマエ』

逸脱的思考によって、僕らが構造的に見落としてしまっているものを可視化できるという事実を、もう一つまったく別種のSF作品を取り上げて、確認してみたいと思います。その作品とは、ヤマザキマリの漫画『テルマエ・ロマエ』です。

実写映画化され、またアニメ放送もされたのでご存知の方も多いと思いますが、『テルマエ・ロマエ』は、古代ローマの浴場設計技師ルシウスが現代日本にタイムスリップするコメディです。

古代ローマに生きる主人公ルシウスは、入浴するとどういうわけか、現代日本の浴場へとタイムスリップしてしまいます（そしてこちらの世界の風呂で溺れたり、気を失ったりすると再び古代ローマに戻ります）。

タイムスリップする先は、日本の銭湯、家風呂、温泉地など浴場と関連する場所です。浴場設計士としての職務に熱心なルシウスは、多種多様な日本の浴場にワープするたびに、戸惑い、ありとあらゆる勘違いをしながらも、「そこに存在しているもの」にいちいち真剣に「驚き」ます。

文明も科学技術もまったく異なる古代ローマから飛ばされてきたルシウスの目には、僕らにとっては取るに足らない現代日本のあらゆるものが、恐ろしいほど高度な技術とセンスの結晶と映ります。たとえば銭湯の黄色いプラスチック桶、脱衣所の大きな一枚鏡、よく冷えたフルーツ牛乳、脱衣カゴ、シャンプーハット、温泉まんじゅう、精巧に印刷された紙幣……。

ルシウスは、ワープしてしまったのが未来の世界であることを知りません。そこがローマ帝国の属州であり、遭遇する日本人たちはローマ帝国の奴隷（ルシウスは彼らを「平たい顔族」と呼びます）だと思い込んでいます。

「なんという文明度の高さ！」
「恐るべし、平たい顔族！」

現代日本の風呂場に置かれたさまざまな事物を目の当たりにしたルシウスは、折に触れてそう嘆息しながら、自身が誇りをもっていたローマ文明との落差に、絶望に近いショックを毎回受けます。その姿に、読者である僕らは思わず笑ってしまうのです。

『テルマエ・ロマエ』の面白さの理由は、ルシウスの「真剣さ」と「勘違い」にあります。

その真剣さと勘違いが、毎度笑いを誘います。

ルシウスは現代の風呂文化の様々なアイテムや仕組みに驚嘆した後、手に取ったり観察したりして熱心に調べます。そして、そのアイデアを何とかしてもとの世界、つまり古代ローマへ持ち帰って再現し、広めなければならないという思いに駆られます。

ルシウスは実にさまざまな勘違いをします。たとえば、システムバス会社のショールームにタイムスリップしてしまったエピソード。ショールームのトイレに駆け込んだルシウスは、最新のウォシュレット便器のフタが自動で開き、音楽が流れるのを目撃すると「何人の奴隷を使っているのだ」と戦慄します（そのセリフの横にはフタ開け係、音楽係の二人の奴隷の絵が差し込まれています）。

温水プールに来てしまったときは、ウォータースライダーを目にして

「叫び声を上げながら平たい顔の子供がとめどなく滑り落ちてくる。もしやこれは精神力をきたえる為の装置なのではないだろうか⁉　かつてスパルタでは子供に過酷な修行をさせて国力増強を図っていたが……」

（実際滑ったあと）「怖いが　愉快だ‼」「これはローマ市民に確実にウケる‼」

と真顔で考えます。

さて、さきほど僕は『テルマエ・ロマエ』をＳＦと呼びました。

なぜＳＦと呼べるのか？

それは、小松左京によるＳＦの定義のうち、「日常的な状況で、異様な人物が登場する物語」に当てはまるからです。

僕らの日常に迷い込んでしまった異様な人物ルシウス。

そして星新一によれば、ある物語がＳＦであるならば、そこには根源的な問いかけがあるということになります。

そしてその中では、僕らが構造的に見落としてしまっているものが可視化されているはずです。

『テルマエ・ロマエ』においては何が問われ、何が可視化されているのでしょうか？

ルシウスの「驚き」の意味

異様な人物、つまり言語ゲームの他者であるルシウスは僕らに何を教えてくれるのか。

それはルシウスの「驚き」に示されています。

ルシウスは、現代を生きる僕らに何が与えられているのかを教えてくれます。

ルシウスが見て驚くもの、驚く対象。それは、古代ローマには存在していなくて、現代においては存在しているもののおよそすべてです。

それらは、僕らが気づかぬうちに受け取っていた贈与なのです。

なぜなら、古代ローマには存在していなかったということは、この世界に初めからあったわけではないものです。

ということは、歴史の過程で、それを生み出した誰かがいるということになります。

だとすれば、それは誰かからの僕らに宛てた贈り物と言えます。

そして、その対象物が存在しない世界、与えられていない世界からやってきてしまった主体であるからこそ、それが「ただそこにある」だけでルシウスは驚くのです。

つまり、ルシウスの目にはそこにあるあらゆるものが、あるはずのないもの、あってはならないもの＝アノマリーに映るのです。そして、そんなアノマリーだからこそ、彼の目にはそれが自分宛の贈り物に見えてしまったのです。


第4章で、「他者からの贈与は僕らの前に、必然的に不合理なものとして現れる」と書きました。

贈与はアノマリーとして僕らの前に姿を現す。

だから、僕らの目には贈与に見えなくても、ルシウスの目にはそれが贈与に見えるのです。

そして、それがあって当然のものではなく、驚くに値するものであると、態度や行為で示すこと。

ルシウスは、それがそこにあることが当たり前ではないという極めて単純で、極めて重要な事実を告げるために、そしてそれだけのために古代ローマからこの現代に召喚される。

何気ない日常の中で、あふれている無数の贈与（のありがたみ）は隠されています。

それらは「あって当たり前」であって、それが無ければ僕らは文句を言う。

コンビニの陳列棚の商品、自動販売機、部屋の空調設備、電車の定時運行、あるいは衛生環境やインフラ、医療――。

逆説的なことに、現代に生きる僕らは、何かが「無い」ことには気づくことができますが、何かが「ある」ことには気づけません。

いや、正確には、ただそこに「ある」ということを忘れてしまっているのです。だから僕らは「ただそこにあるもの」を言葉で述べることができません。それはすなわち、それらが与えられたものであること、それがただそこに存在するという事実が驚くべきことであること、そして、もし失われてしまえば心底困り果ててしまうことに気づくことができないということです。

だから、『テルマエ・ロマエ』の中で、ルシウスはその逆を行うのです。いちいち驚嘆するのです。ルシウスは「そこにあるはずのないものがある」という単純な事実を僕らに伝えてくれているのです。

ルシウスの「驚く」という所作は、まさに僕らの言語ゲームと逆の行為です。

僕らにとっては「あって当たり前」であり、それらが失われた状況を念頭に置いて生活することができません。大きな災害の後は、少しの間はその有難みを実感できますが、生活が日常に戻ってしばらくすると、その有難みはしだいに薄れ、忘れてしまいます。

他方、ルシウスはそもそも「それが無くて当たり前」の世界を生きていて、それが「ある」という状況を想像することすらできません。だから彼は真剣に、過剰なまでに驚くのです。

そんな言語ゲームの他者だからこそ、僕らの言語ゲームの中で透明になってしまっているものを可視化させることができるのです。

それはつまり、僕らが子供のころ、この世界を初めて見た時に感じたであろうセンス・オブ・ワンダーを再演してくれているのです。そして、その身振りは「君たちはこんなにも多くの素晴らしいものを持っている」というルシウスからの祝福の声に聞こえます。

ルシウスがこの世界と初めて出会う姿を見て、僕らはこの世界と出会い直す。

逸脱的思考とは、世界と出会い直すための想像力のことでした。

世界と出会い直すことで、僕らには実は多くのものが与えられていたことに気づくのです。

第8章

アンサング・ヒーローが支える日常

二つのつり合い

こんなちょっと奇妙な、そしてやや抽象的な光景から始めてみたい。

止まって動かない、宙に浮いたように見える一つのボールが目の前にある。

黒いボールだ。

それがなぜ地面から離れて、宙に浮かんでいるのか？

ボールを支えているであろう台座は、完全な透明であり、僕らの目には見えない。

また、ボールや台座に直接触れることはできない。

あなたはそれを毎日観察する。

昨日も今日も明日も。

今のところ、見た限りでは、ボールは静止し続けている。

動く様子はなく、このまま永遠に止まり続けるのではないかと思えるほどに代わり映えがない。しごく安定しているように見える。


あまりにも変化がなく、さすがに見飽きてきた。観察すべきものも特にない。

だがしかし、なぜ止まっているのか？

止まっているということは、力学的に考えれば、少なくともそのボールに働く力の合計

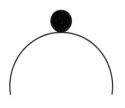

はゼロになっている（もちろん、加速せずに等速で動いている場合でも合力はゼロではある）。

つまり、「つり合い」という状態になっている。

しかし、ここであなたは「つり合い」について、ある事実を思い出す。

物理学における「つり合い」という概念の中には、二つの種類に分けられるものがある。

「安定つり合い」と「不安定つり合い」。

つり合っている以上、どちらの場合でも、物体は止まっている。

ある日、ボールを確認すると、なぜか透明だった台座が見えるようになっていた――。

さて、目の前に現れたのは、平面図にすると上のようなものです。

右が安定つり合いであり、左が不安定つり合いです。

止まっているボールは、静止し続けている限り、どちらにも差異はありません。

劇的な変化は、何らかの外的な要因によって、力を受け、ボールの位置が変化したときに生じます。

それは復元力（レジリエンス）の有無によって決定されます。

安定つり合い点に置かれた右のボールは、変位が生じても復元力によって、勝手にもとの位置に戻ってきます。

それに対し、不安定つり合い点に置かれた左のボールは、その均衡が破れれば二度と元の位置に戻ってくることはありません。もし、もとの位置に戻したければ、ボール、曲面、そして重力という閉じた系の外から力を加えなければなりません（系の外から与えられる力を「外力」と言います）。

安定つり合い点（＝くぼみの底）と不安定つり合い点（＝丘の頂上）。

永遠に静止し続けているボールは、それが復元力に取り囲まれて静止しているのか、それとも、ちょっとした揺らぎが加えられたら二度ともとの位置に戻ることができないような状態で静止しているのか、区別できません。

静止し続けるボールは、台座が見えない場合、次のページの図のようにボールを動かしてみなければどちらのつり合いなのかが分からないのです。

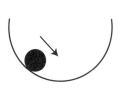

このような、安定つり合い／不安定つり合いは、あるもののメタファーとなります。

僕らの日常あるいは僕らを取り巻く世界、つまり文明とはこのような、止まっているボールのようなものではないでしょうか？

どちらのボールも今のところ静止しています。

それは、昨日と同じような今日がやってくることを表しています。

実際、停電が起こってもすぐ復旧し、電車が運転を見合わせてもそのうち運転再開となります。コンビニの品薄状態も一時的なもので、ルート配送のトラックが来れば商品は滞《とどこお》りなく補充され、上下水道も当たり前のものとして機能していて、ボタン一つであたたかいお湯が出ます。体調を崩しても、薬を飲めば治るし、少々悪化した場合でも検査して入院すれば回復する。医療体制も完璧です。道路もきれいに舗装されているし、それに火事だって、救急だってめったに起こりませんし、犯罪の被害にもそうそう遭いません。

だから、僕らはついつい、このボール（＝社会）がくぼみに置かれた安定つり合いだと思い込んでしまいます。安定つり合い、つまり復元力が働いているがゆえに、少々の社会的混乱も自然に収まると思い込んでいます。

しかし、ここには問題があります。

この世界が安定つり合い（くぼみに置かれたボール）だと思っている人は、少なくとも「感謝」という重要な感情を失うのです。

なぜなら、彼らの目には、「電車の遅延」も「コンビニの欠品」も「風邪で同僚が休むこと」も、ボールを安定点から意図的にずらした奴がいる、と映るからです。

ボール（社会）は放っておいても安定点に舞い戻る。それが安定点からずれているということは、無駄な力を加えて、わざわざずらそうとする力が働いている――そう見えてしまうのです。

安定に戻って当然なのに、それが定常状態に戻らないと感じてしまうのです。

だから、彼らはそれに苛立ってしまいます。

しかし、この世界は、安定とは真逆の、「丘の上に偶然置かれたボール」のような状態なのではないでしょうか。ぎりぎりの均衡を保ち、かろうじて、昨日と同じような今日がやってくる――。

そして、もしそうだとするならば、どこまでも落ちていこうとするのを何とか止めて、もとの位置まで戻そうとする外力が存在しているはずです。

そうでなければ、ボールが静止し続けるなどということはあり得ないのです。

不安定つり合い点で静止し続けるボールというアノマリーの発生。

これを合理化するためには「外力が存在している」と推論する他ありません。

外力があると想定しなければ、不合理だ――。

求心的思考は僕らをその結論に導きます。

そして、そのような外力の存在は、この世界が安定点から外れて、破局を迎えたときに初めて分かります。

というよりも、外力という支えを失って、奈落の底まで落ちていく光景を目にして初めて「そこには転落を止めようとする力が働いていた」と気づくことができるのです。

そのことを徹底的に描いたのが、ＳＦ作家の小松左京でした。

破局が起こる前に、破局を見ること。

不安定つり合いの下に置かれたボールを支える外力が失われたとき、いったい何が起こるのか？

そのような逸脱的思考が小松の特徴と言えます。

「世界像の破壊」を描き続けた小松左京

小松左京のＳＦには、共通のテーマを持つ作品群があります。

そのテーマとは、日常の中で当たり前に存在しているもの、当然のように成立していたがゆえに僕らの意識に上らず透明になっていたものが遮断され、停止し、喪失したとき、僕らはどれほどの混乱と破局と恐怖を引き受けることになるのかという主題です。

すなわちそれは、僕らの世界像がもはや通用しなくなった局面で僕らはどのように振舞うことができるのか、世界像が信頼できなくなった状況とはどのようなものであり、どれくらい僕らの日常を蝕むのか、というテーマです。

世界像の破壊。

それも、徹底した破壊。

小松は世界像の破壊というＳＦを通して、僕らの生存を下支えしていた「透明だったもの」（＝世界像）を可視化させます。

致死性ウイルスの蔓延によるパンデミックを描いた『復活の日』や、題名通り日本人が国土を失う『日本沈没』をはじめ、『こちらニッポン…』『首都消失』、短編では「アメリカの壁」「物体O」。

いずれも「遮断／停止／喪失」がそのSF的設定として用いられています。

小松の一連のSFは、僕らが日々多くの恩恵を受け取りながら生きていることを教えてくれます。未然に防がれている破局は、その定義上、目には見えません（何も起こらないわけですから）。小松はSFを通して、つまり「もしもそれが防がれなかったならば」という視点からそれを可視化させているのです。

冒頭のつり合いのボールの比喩で言えば、不安定つり合いに置かれたボールが、それをもとの位置に戻す外力を失ったならば……という思考実験です。

そこに描かれた破局を読んだ後、本から目を離し、自分の周囲を見回したとき、ちゃんと日常の社会が機能していることに安堵し、誰に宛てたでもない感謝の念を抱くのはなぜでしょうか？

それは「何も起こらないこと」が一つの「達成」であると認識するからです。

何も起こらない日常を僕らが享受しているという事実。

そして、不安定つり合いに置かれたボールが、今日も同じ場所に留まっていることは、達成として祝福すべき事態である、と小松左京は教えてくれるのです。

ボールを支える外力を失った世界

小松の代表作の一つである『復活の日』を見てみましょう。

『復活の日』は先ほども軽く触れましたが、軍事用に開発されたウイルスの蔓延により、南極大陸に残る人間を残して、地球上すべての人類が死に至るさまを描いた物語です。国家の思惑により、ウイルス開発に携わってしまった研究者たちの良心に由来する告発もむなしく、人類はウイルスの正体を解明できない。対応策の実施もワクチン製造も何もかもが後手後手に回る。為すすべなく、自らがどのような原因で、どのようなウイルスによって死に向かっているのかをまったく理解することもできないまま、滅亡へと至る――というストーリーとなっています。

当初、人々は、新型インフルエンザの流行程度に考えていたのですが、その実、人々が次々に亡くなっていきます。

このSFが恐ろしいのは、都市の日常が徐々に、しかし確実に蝕まれ、その機能が停止していくさまを描いている点にあります。

たった2か月前（ウイルス蔓延以前）までは人であふれていた、平日の通勤ラッシュ時の電車や駅のホームに、人がまばらになった。季節外れのコートを着込み、マスクをつけ、熱のためにうつろな目をして、ときに咳《せき》をしながら、電車に乗っている。

ウイルスはもちろん電車の運転手や保安要員にも広まっていて、国鉄はダイヤを組み換え、運転本数を減らさざるを得なくなっている。

「たかがインフルエンザじゃないか――……そのたかががどこか心の奥底のほうで、まさかにかわりつつあった」

その転換を告げるのは、新聞に出るインフルエンザ関連の記事の移動ぶりだった。

新聞の見出し、とくに経済面、国際面ではなく、スポーツ、娯楽面にまでその影響が表れ始めていた。

「巨人‐広島第十回戦、両軍選手多数インフルエンザのため、ついにお流れ」

「西鉄ヘンドリック三塁手、試合中に死亡――かぜを押しての出場のむりから」

「映画製作中止続出、大スターの急死の痛手、急場の埋め合わせ間に合わず」

「生鮮食品暴騰つづく。― 鶏卵取引再開の見とおしたたず。厚生省、病死鶏肉の闇売りに厳罰をもってのぞむと声明」

そして、世界を震撼させた「ソ連首相インフルエンザで急死」のニュース。

その後、鉄道各線はすべてストップする。

そのころには、朝夕に届く新聞がたった８ページに減っていた。

テレビ、ラジオの地方局は軒並み電波を止めていて、キー局でさえ、朝、正午、晩の合計4時間しか放送しなくなってしまった。

「六月にはいったとたんに雨が降り始めた。――そしてそのころから、銀座通りで「死体」が見られるようになった」

銀座で死者が出た、というのではない。片づけられない遺体が放置されている。

救急や消防あるいは警察というシステムから、遺体を片づける余裕さえ失われてしまった。

「六月二十日現在、警察や衛生局の報告では、東京都内だけで、路上に放置されている行きだおれ死体は五万から六万あると報告されています。（…）― 死体焼却場の能力もとうのむかしに限界に達し、また、焼却係自体が、多数、死んだり、寝込んだりして、能力そのものも低下しているありさまです」

普段は事態を収拾してくれる行政も、医師も、自衛隊も科学者も研究者たちも、皆人間であり、その災厄から逃れることができなかった。

ありとあらゆる人間、そして医療、防疫、衛生、政治、経済、交通といったありとあらゆるシステムが死に絶える。

南極に留まっている約1万の、最後の人類だけを残して。

これ以外にもあまりに不気味な描写が随所に出てくるのですが、これらはたんなる露悪趣味のための描写ではありません。『復活の日』は、俗っぽいパニック小説ではありません。しかし、エンタテインメントとしても一級品です。結末はご自身で読んでみてください。

小松がこのような災厄を徹底的に描くのは、ある理由があります。そのあとに控える「文明論」を語り出すための文脈を設定するためです。人間にとって重要な言葉というものは、ただそれを口にすれば届くわけではありません。星新一の言うように、ましてや絶叫によってその正当性を主張したとしても、言葉に力が宿るわけでもありません。

正しい言葉は、正しい文脈を必要とする。

小松は根源的な問いかけを発するために、届けるべきメッセージを述べるために、SFという装置によってそれが語られる文脈を発生させます。

災厄への備えを怠るということ

『復活の日』の後半部に、大学で文明史を教えるスミルノフ教授という人物が登場します。彼が最期の力を振り絞り、もはやほぼすべての人類が滅亡した世界に向けて、ラジオを通して最後のレクチャーを発信する長いシーンがあります。

小松は自伝的著作『ＳＦ魂』の中で、スミルノフ教授は作者の分身であり、原稿用紙で30枚以上続くその独白に込めた思いは今も変わっていない、と述べています（『ＳＦ魂』、70頁）。

地球上に、もはや誰も自分のラジオ講義を聞いてくれる人がいないことを分かっていながら、それでも語らずにはいられない。自身もすでにウイルスに罹患し、もはや眼も見えなくなり放送の途中で意識を失いかけながら、そして心臓の発作に襲われながらも語り続けます。

なぜスミルノフ教授は、誰も聞く人のいなくなった世界に向かって言葉を発し続けるのか。

それは、「学者の責任」「哲学者の責任」だからだと言います。

どういう責任かというと、人間もまた生物にすぎないという、人間の真の姿とその意味を学者は知っており、それを人々に伝えるという責任です。

そして、自分はそれを知っていたにもかかわらず、その責任を果たしてこなかった。その強い後悔の念が、彼を突き動かしています。

「この災厄は不意うちだった。科学者たちでさえ予測できなかった。あまりに急激すぎて、災厄に対する全人類の統一戦線をはるだけの余裕がなかった。しかし――それにしても、われわれが、全力をあげて闘うことは原理的に不可能だったのでありましょうか？　人類がもっと早く、自己の存在のおかれた立場に目ざめ、常に災厄の規模を正確に評価するだけの知性を、全人類共通のものとして保持し、つねに全人類の共同戦線をはれるような体制を準備していたとしたら――災厄に対する闘いもまた、ちがった形をとったのではないでしょうか？」

（『復活の日』、３１６頁、強調原文）

そして、この災厄の責任は、科学者ではなく、哲学者にあった、と断じます。

「知識人は……なかんずく哲学者は……自然科学の提示する宇宙と人間の姿を理解し得る立場にあったはずだ。彼等はそれの、人間にとって意味することを、大衆に……というのは全人類に翻訳し、つたえることができたはずだ」

（『復活の日』、３２３頁）

なぜ、このような主張を今まで広く訴えることができなかったのか。

スミルノフ教授は「三か月前まで、私もまた、俗世間的生活に……あの卑小な日常性に、ひたっておりました」と述懐します。そして、その俗世間的生活、卑小な日常性に浸っている状況を、人類は人間的な、あまりに人間的なことにかかずらいすぎた、と表現しています。また、そのような僕らの人間的な日常の生活を「いっそ、いじらしいくらいでした」とも述べます。

最後に、スミルノフ教授は自分の気持ちを率直に述べ、それが強烈な悔恨の原因であったことを告白します。

当初、彼がラジオ講座を引き受けたのはささいな金銭的理由でした。そして、「数回でもって要領よく、古代オリエントから現代にいたる文明史をのべるつもりでありました。どうせ聞くものも大していないだろうからと、ごくお座なりの気持ちで始めたのであります」という学者としての自らの罪を、すでにその声を聞き届ける人間のいない世界に向かって告白します。

「私には……学者として、あらゆる機会を通じて、全人類に対して責任をとり、時に嘲笑を浴びようとも動じないだけの信念と勇気に欠けていたのでありました」

僕らに、スミルノフ教授を責める権利があるでしょうか?

災厄の可能性を分かっていながら、告発し、啓発することを怠っていたのか、と。

知者たちは、この世界が不安定つり合いに置かれた危ういボールにすぎないと知っていて、僕らはそれを知り得なかったという身の潔白を主張することができるでしょうか。

僕らだってそれを知っていた。忘れたふりをしていたにすぎません。

シーシュポスの不幸

小説家であり哲学者でもあったアルベール・カミュの作品に「シーシュポスの神話」というたった数ページの短い寓話《ぐうわ》があります。

寓話と言っても、その寓意は非常に分かりにくい。

罪を犯したシーシュポスは、神々によって、休みなく岩を山頂まで運びあげるという刑罰を与えられました。しかし、その岩は山頂まで運び上げるといつも決まって山の麓まで転がり落ちて行ってしまいます。


無益で希望のない労働ほど恐ろしい懲罰はないと神々が考えたのは、たしかにいくらかはもっともなことであった。

（「シーシュポスの神話」、２１０頁）

シーシュポスの罪はいろいろと言い伝えられていますが、カミュは「神々に対するかれの侮蔑、死への憎悪、生への情熱が、全身全霊を打ち込んで、しかもなにものも成就されないという、この言語に絶した責苦をかれに招いたのである。これがこの地上への情熱のために支払わねばならぬ代償である」（同書、212頁、強調引用者）と言います。

シーシュポスは不条理な英雄だとカミュは言います。

たしかに不条理と言えます。

岩運びの回数のギネス記録を狙うわけでも、お百度参りのような願掛けでもない。

一切の目的、一切の意味を欠いた罰を与えられているわけです。

しかも、彼の罪は、神々への侮蔑は別として、死への憎悪と生への情熱、つまりこの地上への情熱だというのです。

たったそれだけの理由で、無限に続く苦役を課せられているわけですから、不条理と言う他ありません。

しかし、岩を運び上げては転げ落ちて行き、再び運び上げるという終わりのない罰の中で、シーシュポスはあるとき「すべて、よし」と宣言します。

つまり、これでいいのだ、と自らの境遇、運命を肯定するのです。

なぜそのように至ったのかの詳細は書かれてはいませんし、何か劇的な変化がシーシュポスに起こったわけでもありません。

そして、唐突に「頂上を目がける闘争ただそれだけで、人間の心をみたすに充分たりるのだ。いまや、シーシュポスは幸福なのだと想わねばならぬ」（同書、２１７頁）という言葉で、この寓話は閉じられます。

先ほどのスミルノフ教授の言葉の中に「自己の存在のおかれた立場」という表現がありました。

これこそ、まさにシーシュポスの姿なのです。

岩、つまりボールは転げ落ちていくのが当然なのです。

小松左京が徹底して描いたように、何も起こらない日常というものは、獲得しなければならないものだということです。

シーシュポスは、この世界が無秩序で混乱に満ちた場所になるのを、未然に防ぎ続ける存在の比喩と見ることはできないでしょうか。

もしその視点を採るならば、シーシュポスの苦役は決して無益なものではありません。

なぜなら、それは一つの達成だからです。

この社会の秩序と安定を維持し続ける贈与者。

シーシュポスはその事実を悟るのです。

だから、「すべて、よし」と思うことができたと言えるのではないでしょうか？

小松左京とカミュの希望

この世界の壊れやすさ。

この文明の偶然性。


宇宙が誕生してから、地球という環境が生まれ、そこに未熟だが知的な生物が誕生し、文明と呼ばれるものを作り出した。

それは神が、ちょっとした興味から、不安定つり合い点に、そっとこの世界を置いてみたのではないでしょうか？

いつ、奈落の底まで落ちていくのか？

どこまで耐えることができるか？

そんな、神のいたずらのような実験のただ中にあるような気がしてきます。

あるいは、神に試されている。

あらゆる秩序は、必ず無秩序へと至る。

放っておけば、部屋は散らかっていく。それも確率的に確実に散らかっていく。

そんな世界を僕らは与えられた。

虚心坦懐《きょしんたんかい》に考えれば、僕らの身体もそのようにできているとも言えます。

どれほどたくさん食べても、死ぬまでの全エネルギー分を食べきったと言うことはできず、次の日になれば必ず空腹がやってきます。飽きるほど水を飲んでも、またなぜか喉は渇きます。睡眠だって同じです。

不合理な身体、不条理な身体だとは思わないでしょうか。なぜ代謝し続けなければ維持することができないシステムを進化の過程で獲得したのでしょうか？

この宇宙も、僕らの身体も無秩序（＝死）から逃れられない。

生きたければ抗《あらが》い続けなければならない。

だから、カミュはそれに対して「すべて、よし」と応えた。

なぜ、僕らにはこのような不安定な宇宙が与えられてしまったのでしょうか？

その問いに対する答えを僕らは手に入れることはできません。単に、この世界はそのような不安定つり合いに置かれている、という事実を知ることしかできない。

そして、生への情熱を持ち続けるならば、この無限に続く苦役を担わねばならない。

小松左京、そしてカミュの遺《のこ》したメッセージは、このような寓意だったのではないでしょうか。

カミュはこの物語の中で「幸福と不条理とは同じひとつの大地から生まれたふたりの息

子である。このふたりは引きはなすことができぬ」と言い、小松左京は『復活の日』のあとがきに次のように記しています。

私の中にあるのはただ一つの「図式」――「世界の根底的な偶然性」に対する、私なりの図式があるだけだった。だが、（…）偶然に翻弄され、破局におちいる世界の物語を描いたところで私が人類に対して絶望していたり、未来に対してペシミスティックであると思わないでいただきたい。逆に私は、人類全体の理性に対して、――特に二十世紀後半の理性に対して、はなはだ楽観的な見解をもっている。（…）さまざまな幻想をはぎとられ、断崖の端に立つ自分の真の姿を発見すること、ができた時、人間は結局「理知的に」ふるまうことをおぼえるだろうからである。

（『復活の日』、438頁、強調引用者）

丘の上に偶然置かれた不安定なボール。
そして、それを支え続けること。
すべて、よし。
小松左京とカミュの物語から、僕はそんなメッセージを感じるのです。

アンサング・ヒーローの論理学

小松左京は、ボールを支える外力が無効になった世界の物語を書き、カミュは岩を運び上げる刑罰を科せられたシーシュポスの神話を描きました。

内田樹は贈与に関連して「アンサング・ヒーロー」という概念を提示しています（なお、内田は生物学者である福岡伸一の『生物と無生物のあいだ』からこの言葉を教わったと述べています）

> ひとりの村人が道を歩いていたら、堤防に小さな「蟻《あり》の穴」を見つけた。何気なく小石をそこに詰め込んで穴を塞いだ。その「蟻の穴」は、放置しておくと次の大雨のときそこから堤防が決壊して、村を濁流に流すはずの穴だった。でも、穴が塞がれたせいで、堤防は決壊せず、村には何事も起きなかった。
>
> この場合、穴を塞《ふさ》いだ人の功績は誰にも知られることがありません。本人も自分が村を救ったことを知らない。
>
> （『街場の憂国論』、350頁）

その功績が顕彰されない陰の功労者。歌われざる英雄（unsung hero）。アンサング・ヒーロー。

それはつまり、評価されることも褒められることもなく、人知れず社会の災厄を取り除く人ということです。

この世界には無数のアンサング・ヒーローがいた。

僕らはあるときふと、その事実に気づきます。

その気づきは、この文明が「丘の上に置かれた不安定なボール」だと気づくのと同時に訪れます。

だからアンサング・ヒーローは、想像力を持つ人にしか見えません。

どういうことか？

アンサング・ヒーローはその定義上、僕らに分かる形では名乗ってはくれません。

しかも、「その活躍が災厄を未然に防いだ」という事実によってのみ、その存在が同定されるような存在者です。

だから「この世界には災禍が間違いなく起こっていたはずなのに、なぜだか知らないがそれが防がれた」。だとすれば、「それを防いだ人あるいは防ぎ続けている人がいるはずだ」というふうに、求心的思考によって想像できる人だけがその存在を把握することができます。

丘の上に静止し続けるボールというアノマリー。

その強烈なアノマリーに気づいた人だけが、この推論を進めることができます。

求心的思考は、アノマリーの発生、アノマリーをアノマリーだと気づく主体から始まるのでした。

この日常も社会もアノマリーだ。不安定つり合いの上に置かれたこの文明が、これほどまでに安定して、つり合って、昨日と変わらない今日がやってくること自体、これ以上ない不合理であり、アノマリーだ。

そう感じることのできた主体だけが、「この幸運なアノマリーを発生させた誰かがいる」と推論できるのです。

それも、顔も名前も知らぬ、無数の人々がいた、と。

だから、アンサング・ヒーローはそのような求心的思考によって、正しく推論を行うことができる人によって、初めてその存在を認められます。

僕らは「サンタクロースなんかいない」と知ったとき、子供であることをやめる。

そして「この世界には無数のアンサング・ヒーローがいたのだ」と気づいたとき、僕らは大人になる。

この文明の秩序というアノマリーに気づき、それを合理化するプロセスを経て、初めてアンサング・ヒーローがいたはずだ、いたに違いないと知ることができるのです。

そして、それに気づいた主体はアンサング・ヒーローからの贈与を受け取ることができき、その返礼として、ふたたびこの社会を見えないところで支える主体となることができるのです。

そして、アンサング・ヒーローになるにはこのプロセスを経るしかありません。なぜなら、アンサング・ヒーローの仕事には、インセンティブとサンクションが機能しないからです。

まずアンサング・ヒーローにはインセンティブつまり報酬が渡されません。なぜなら、アンサング・ヒーローは誰にも知られることなく未然に災厄を防いでしまうからです。災厄や事件が起こった後にそれを解決するのであれば、目に見える功績ですから、何らかのインセンティブが渡される可能性があります。このように、アンサング・ヒーローという差出人の視点においては「ありがとう」と言ってくれる他者がいないのです。

また、ある人がアンサング・ヒーローにならなくても、誰も彼を責めません。なぜなら、アンサング・ヒーローが行う贈与はもともと誰の責任でもない仕事だからです。防がなかったとしても誰の責任にもならないが、自分がやらなければならないと感じる人のことをアンサング・ヒーローと呼ぶのです。

そしてここが重要です。

アンサング・ヒーローは自分が差し出す贈与が気づかれなくても構わないと思うことができる。それどころか、気づかれないままであってほしいとさえ思っているのです。なぜなら、受取人がそれが贈与だと気づかないということは、社会が平和であることの何よりの証拠だからです。自身の贈与によって災厄を未然に防げたからこそ、受取人がそれに気づかないのです。

アンサング・ヒーローは、自身の贈与が一切気づかれないことを望んでいる。気づかれないことが、自身の贈与が向こう側に届いたことの何よりの証拠となるのです。

だから、僕らが気づいていないだけで、この社会には無数のアンサング・ヒーローが存在しているのです。その純然たる事実に気づいた人だけが、その前任のアンサング・ヒーローから贈与のプレヒストリーを与えられ、自身がふたたびアンサング・ヒーローの使命を果たしていくのです。

アンサング・ヒーローは僕らの見えないところで、語られることなく、連綿と受け継がれていく。

それはまるでサンタクロースのように――。

第9章 贈与のメッセンジャー

「I love you」＝「月がきれいですね」？

夏目漱石が「I love you」を「月がきれいですね」と翻訳したという有名な逸話があります。

どうやらこれは文献的には記録の残っていない創作であるようです。

ですが、史実であったにせよなかったにせよ、以下の議論には影響はありません。と言うよりむしろ、史実でないこと自体が、僕らに多くを教えてくれるのです。

ネット上で知ったにせよ、誰かから伝え聞いたにせよ、僕らは「たしかに『月がきれいですね』とは、これ以上ない愛の言葉だ」「愛の告白にはそのような言葉がふさわしい」と（そして「漱石なら言いかねない」と）感じてしまう。

なぜだか分からないが、すっと腑に落ちてしまう。

僕らは、「月がきれいですね」を、愛の言葉にふさわしいと感じる。

重要な点はここです。

「月がきれいですね」という言葉を向けられた相手は、その時どういう反応を見せるでしょうか。

当然、同じ方向を向いて、月を見上げます。

それはつまり、同じ景色を共有するわけです。

「月がきれいだね」という一階の字義通りのメッセージを語ることで、「私とあなたは偶然、同じ時間、同じ場所に居合わせている」という二階のメタメッセージがそこに含まれます。

だから、僕らは、美しい景色を見ると、誰かに教えずにはいられない。

その光景を、今ここで誰かと共有せずにはいられない。

純粋な自然の贈与を受け取ると、誰かにシェアしたくなる。

家族や友人、恋人と電車で旅をしているとき、窓の外に富士山や海が見えます。そんな時、なぜ僕らは同行者に、「ほら、富士山が見える！」と教えるのでしょうか。

誰かとレストランで食事をしているとき、テーブルを共にする相手に「おいしいね」と伝えてしまうのはなぜでしょうか。

僕らはなぜか、まだ気づいていない人にその景色を教えたり、あるいはスマホで写真を撮ってＳＮＳにアップしたりしてしまいます――ほとんど無意識的に。

シェアせずにはいられないから。

ポップソングは昔からそうした歌詞で溢《あふ》れています。ざっと見渡してみても——。

あの時同じ花を見て／美しいと言った二人の／心と心が今はもう通わない

（「あの素晴しい愛をもう一度」、作詞＝北山修、作曲＝加藤和彦）

今君がこの雪に気づいてないなら／誰より早く教えたい／心から思った

（「北風」、作詞作曲＝槇原敬之）

君の街に白い雪が降った時／君は誰に会いたくなるんだろう／雪が綺麗だねって／誰に言いたくなるんだろう

（「ヒロイン」、作詞作曲＝清水依与吏）

美しいものや大切なものをシェアすることが親愛の証だから、僕らはつい、大切な誰かに共有してしまうのです。

「賦」という所作

漢文学者の白川静によると、このような僕らの所作は「賦《ふ》」と呼ばれる形式だそうです。

和歌などでは、よく風景の描写が登場します。

古今和歌集などの古代文学における「賦」とは、数え歌の形式のことだと白川は指摘しています。

賦とは、歌を詠《よ》む際の、言わば写生のことです。見たままを詳細に言挙げしていく。美しい山の姿であれば、山のあそこに茂みがあり、谷の具合や木々の深さがこうなっている……と、一つひとつ数え上げるように描写していく。

なぜそのような形式が採用されているのでしょうか。

白川によれば、賦の目的は単に歌を詠むことでなく、「歌うことによってその対象の持っておる内的な生命力というものを、自分と共通のものにする、自分の中へ取り入れる」ことにあります。また、そのように文学的に美しく歌い上げるという賦によって、病気を治すことさえ可能だったといいます。

「病気まで治る」というのは現代の僕らにはさすがに信じられない。

しかし、「生命力」と言い換えれば、納得できるはずです。

先ほど見たように、「今君がこの雪に気づいていないなら／誰より早く伝えたい」と感じたり、雪を見たら誰かに逢いたくなったり、思わず「雪がきれいだね」と言いたくなったりする。あるいは、月を見上げて愛の言葉を伝えたくなる。

　僕らに何かしらのアクションを迫り、しかもそのアクションは「他者とのつながり」へ向かっているという意味において、それは生命力と言えるのではないでしょうか。


　そもそも歌とは、それを聴き届ける相手の存在を前提としています。つまり、違う場所にいる誰か、あるいは未来にいる誰かに向けて、歌は詠まれます。

　受け取った純粋な自然の贈与を、それをまだ受け取ることのできていない誰かに向けて転送する。

　つまり、贈与を受け取った人は、メッセンジャーになるということです。

　そのようなダイナミズムを生み出すために、賦という儀礼が存在しているのです。

　そして、賦とは「数え歌」のことでした。

> 「賦」というのは、或る一つの物があって、その原理的な基本の性格が色んな物にそのまま受け継がれて、分かち与えられていくという意味です。そういう風な色々に分かち与えられた物を、一つずつ調べ数え立てていく、だから数え歌という訳が付いとる訳ですね。

（『呪の思想』、232頁）

分かち与えられた物を、一つずつ調べ数えていく。
何が僕らに与えられているのかを、一つひとつ数え上げていく。
これを行う人物が、それも徹底的に行う人物が、すでに本書に登場しています。
『テルマエ・ロマエ』の主人公、ルシウスです。

メッセンジャーとしてのルシウス

「ルシウスは、それがそこに在ることが当たり前ではないという極めて単純で、極めて重要な事実を告げるために、そしてそれだけのために古代ローマからこの現代に召喚される」

第7章で僕はそう述べました。

つまり、『テルマエ・ロマエ』とはルシウスによる「賦」の物語だったわけです。

というよりも、『テルマエ・ロマエ』はみごとな贈与論なのです。

現代文明を目の当たりにしたルシウスは、牛乳ビンやぬいぐるみ、あるいは現代社会で採用されている制度やシステムそのものを、何とかして古代ローマへと持ち帰ろうと孤軍奮闘します。

ルシウスは、自分が見知った物、受け取った物に対して驚嘆するだけではありません。それらを古代ローマの人々（特にハドリアヌス帝）にシェアしなければならないという使命を感じ、必死にそれを果たそうと奮闘する。『テルマエ・ロマエ』はそういう物語構成になっているのです。

ルシウスの行動力には、まさに「生命力」が賦活されています。時に笑いを誘う彼の真剣さはここに由来していたのでした。

贈与のメッセンジャーとしてのルシウス。彼は、現代の技術を古代ローマに持ち帰って一攫千金を狙おう、などとはまったく考えません。なぜなら、シェアしなければならないからです。

何の根拠もなく、偶然手にしてしまった物、つまり誤配を、独占するわけにはいかない。

僕らが『テルマエ・ロマエ』を読んであたたかい気持ちになるのは、ルシウスにそんな誠実さ、フェアネスを感じるからではないでしょうか。

ルシウスが手にした贈与には、差出人がいません。なぜなら、彼が手にしたのは、ただたまたまそこにあったものだからです。彼は「これは一体だれが作ったのか？」ということにはほとんど興味を持ちません。ルシウスが手にしたものは、「これをローマになんとしてでも持ち帰らなければならない」と彼が感じたまさにその瞬間に、贈与に変わったのです。

ルシウスはその贈与のメッセンジャーですが、それを贈与だと見なしたことにおいて、彼は贈与のクリエーターです。彼がいたから、そこに贈与が立ち現れたのです。

ルシウスがメッセンジャーという使命を持ったとき、そこに初めて贈与が生成したのです。

贈与は市場経済の「すきま」にある

「贈与は僕らの前に、不合理なもの、つまりアノマリーという形で現れる」という話をこれまでしてきました。

しかし、改めて考えてみると、それはなぜでしょう?

それは、現代社会が採用しているゲームが等価交換を前提とし、市場経済というシステムを採用しているからです。

第2章で述べたように、資本主義はありとあらゆるものを「商品」へと変えようとする志向性を持ちます。だから、僕らの目の前には、購入された「商品」と、対価を支払ったことで得られた「サービス」が溢れているわけです。それらで覆い尽くされていると言ってもいいでしょう。

しかし、だからこそ、その中にぽつんと存在している「商品ではないもの」に僕らは気づくことができるのです。

他者から贈与されることによって「商品としての履歴が消去されたもの（値段がつけられなくなったもの）」も、サービスではない「他者からの無償の援助」も、市場における交換を逸脱する。それゆえに、僕らはそれに目を向けることができ、それに気づくことができるのです。

だから、贈与は市場経済の「すきま」に存在すると言えます。

いや、市場経済のシステムの中に存在する無数の「すきま」そのものが贈与なのです。

そして、世界像、すなわち常識に支えられた言語ゲームの全体性、整合性を前提として初めてアノマリーが立ち現れるのと同様に、市場経済というシステムと交換の論理という下地があるからこそ、そこに贈与というアノマリーが見えてくるのです。

「すきま」という言葉は、文化人類学者の松村圭一郎から借りています。

市場と国家のただなかに、自分たちの手で社会をつくるスキマを見つける。関係を解消させる市場での商品交換に関係をつくりだす贈与を割り込ませることで、感情あふれる人のつながりを生み出す。その人間関係が過剰になれば、国や市場のサービスを介して関係をリセットする。自分たちのあたりまえを支えてきた枠組みを、自分たちの手で揺さぶる。それがぼくらにはできる。

（『うしろめたさの人類学』、178頁）

ですから本書が論じた形の贈与は、市場経済を否定していません。

それどころか、むしろ、市場経済を必要としているのです。

なぜなら、無時間的な等価交換、相手を問わない形の交換が日常となっているからこそ、贈与がアノマリー、すなわち「間違って届いたもの＝誤配」として立ち上がるからです。

贈与はアノマリーでなければならない。

東浩紀は次のように述べています。

贈与はむしろ市場のなかにこそある。だって、贈与とは交換の失敗のことなのだから。買ったはずのものがちがうところに届いたとか、買っていないはずのものが届いたとか、それが贈与の本質じゃないですか。まず交換がなければ贈与もありえないんですよ。

（「接続、切断、誤配」、17頁）

東はまた、この発言の前段で、市場の「外部」をつくるのではなく、「資本主義のなかに『隙間』をたくさんつくるべきだと考えている」と語っています（同書、16頁、強調は引用者）。ここでも「すきま」です。

市場経済を捨て去るのは言うまでもなく困難ですし、僕らは多くの場面で、贈与に頼ることなく、交換のみで生きていくこともできています（もちろんこれは、贈与を一切必要としないで生きていけることを意味しません。「多くの場面で」という条件つきです）。逆に、市場経済ではない共産的共同体、つまりシェアや贈与が当然である世界、あるいはそれらが強制される世界では、本書が述べてきた「不合理で偶然な贈与」は消失してしまいます。

資本主義というシステム、市場経済というシステムが、贈与をアノマリーたらしめるのです。

等価交換という価値観が色濃く社会に浸透しているからこそ、それを地として、アノマリーである贈与が図として浮かび上がるのです。

贈与と交換のマッシュアップ。

「贈与か交換か」という二者択一ではなく、その両者を混ぜ合わせた、社会を作り直す道があるのです。

つまり、これまで述べてきた贈与は、現在の世界を覆い尽くしている市場原理と一切矛盾しません。

しかし、市場経済を否定しない代わりに、祈りと想像力が要請される。

祈りとは、贈与の差出人の「届いてくれるといいな」という倫理でした。

それは「届かない可能性」を前提とする態度です。

届くことがないかもしれないから、祈りながら差し出すのです。

差出人の祈りなき贈与は交換となり、受取人の想像力なき贈与は気づかれることなくこの世界から零《こぼ》れ落ちていく。

クルミドコーヒーの贈与論

本書で論じてきたことは空論ではないか、という反論があるかもしれません。

しかし、本書で明らかにした「贈与の構造」を、実際に生かしている例があります。

マッキンゼーを経て独立した影山知明が店主を務める、東京・西国分寺にある異色の喫茶店、「クルミドコーヒー」です。

「食べログ」でカフェ部門全国１位に輝いたことでも知られるクルミドコーヒーは、贈与論をビジネスに組み込んで成功した一例です。影山の著書『ゆっくり、いそげ』から、一つだけ実践例をご紹介しましょう。

　影山によれば、クルミドコーヒーの成功を考えるポイントは、お客の「消費者的な人格」「受贈的な人格」「健全な負債感」にあります。

　まず「消費者的な人格」とは、「できるだけ少ないコストで、できるだけ多くのものを手に入れようとする」人格のことです。多くの飲食店が販促策として実施しがちなポイントカードや割引クーポンなどは、へたをするとお客のこの「消費者的な人格」を刺激してしまい、その反応によって店の姿勢にも同じような影響が出てしまいます。

　それに対して「受贈的な人格」とは、まさに本書が述べてきた、「不当に受け取ってしまった」という、贈与の受取人としての負い目の自覚を持つ人格のことです。会計時に１０００円を払う際、「こんなに贅沢な時間を過ごさせてもらって１０００円なんて安すぎる。もっと払ってもいいのに」といった「金額以上のものを受け取ってしまったという感覚」が、そのお客の次の来店や、友人知人に店を宣伝してくれたりすることにつながるわけです。

影山はこのような負い目を「健全な負債感」と名づけています。それはまさに「受け取ってしまったもののほうが大きい」という感覚、「お返しをしなければならない」という感情のことです。

もう一つ面白いのは、店内の各テーブルにおかれた「無料の殻《から》付きクルミ」というシステムです。要はクルミの無料サービスです。そこには「おひとりさま何個まで」というような制限はありません。つまり、販促ではないのです。

ではなぜこのサービスを行っているか。

クルミの減るペースが、店の仕事ぶりを測るバロメーターとなるからです。

店の仕事ぶりがお客の消費者的な人格を刺激しているようならば、「少しでも多く元を取ろう」とするお客が増え、クルミが減るペースが上がる。逆に客の受贈的な人格を刺激できているなら、負債感から一定の歯止めがそこにかかるというわけです。

影山は次のように述べています。

交換を「等価」にしてしまってはダメなのだ。「不等価」な交換だからこそ、より多くを受け取ったと感じる側（両方がそう感じる場合もきっとある）が、その負債感を解消すべく次なる「贈る」行為への動機を抱く。（…）こうしたお客さんの側への「健全な負債感」の集積こそが、財務諸表にのることのない「看板」の価値になる。

（『ゆっくり、いそげ』、62頁）

このように、ビジネスの現場でも贈与の理論とメカニズムはたしかに働いているのです。

「命のバトン」とルシウスの使命

贈与をめぐる本書の旅も、いよいよあと少しとなりました。

本書を締めくくるにあたって、決着をつけておくべき議論が一つあります。それは、なぜ本書が贈与の「受取人」の立場を主題とした贈与論となっているのかを明らかにするものでもあります。

本書は、内田樹の贈与論を有益なものとして援用してきました。僕自身、贈与について内田の著作から多くを教わりました。

しかし、内田の贈与論は、特に次の点において、勇み足なのです。

贈与に対しては反対給付義務を感じる。もらったら、「もらいっぱなしでは悪い」という気分がしてくる。これは当然のことです。
何かを贈与されたとき「返礼せねば」という反対給付義務を感じるもののことを「人間」と呼ぶわけですから。贈与されても反対給付義務を感じない人は、人類学的な定義に従えば、「人間ではない」。

（『困難な成熟』、220頁）

内田がここで示唆するのは、「人間であるならば、受け取った贈与に対する反対給付義務を感じなければならない」という規範性、つまり強制です。
贈与に関して、自閉症を抱える作家の東田直樹は次のように問いかけています。

「命のバトン」という言葉があるが、これは命をつないで生きることを意味しているのだろうか。僕は、命というものは大切だからこそ、つなぐものではなく、完結するものだと考えている。
人が死んで思いが残る。そう考えるのは、生きている人である。死んだ人が死んだ後、何を思っているのか本当のところは分からない。死んでからの自分がどうなるのか、何を考えているかは、死んでみないと誰にも分からないのだ。

命がつなぐものであるなら、つなげなくなった人は、どうなるのだろう。
バトンを握りしめて泣いているのか、途方に暮れているのか、それを思うだけで僕は悲しい気持ちになる。

（『自閉症のうた』、22〜23頁、強調引用者）

東田の指摘は、「返礼をしなければならない」という反対給付義務を感じてしまったがゆえの苦しみと言えます。

私は確かに贈与のバトンを受け取ってしまった、しかし、それを他の誰かにつなぐことができない――。

そのような自責の念は、ときに強い呪いとして機能してしまいます。

しかし、東田の問いかけ、すなわち「贈与を次へとつなげなくなった人はどうすればいいのか」という問いに対して、本書のこれまでの議論をもとに、こう答えることができます。

贈与の受取人は、その存在自体が、差出人に「使命」を逆向きに贈与する、と。

「贈与のメッセンジャー」の代表的存在であるルシウス。彼は自分一人の力で差出人になれたでしょうか？

彼は、他ならぬハドリアヌス帝、ひいては多くのローマ市民という「固有名を持った宛先」を持つことができたからこそ、使命を持つことができ、使命を全うすることができたのです――「必ずこれを届ける」という使命を。

1、贈与の対象となる「モノやコト」
2、メッセンジャーであるルシウス
3、ハドリアヌス帝およびローマ市民

1〜3のうち、まず初めに存在していたのはどれでしょうか。

普通に考えれば、答えは1です。「贈与すべき何か」がまず初めに存在していて、それがメッセンジャーの手に渡り、宛先へとパスされる――という順番だと。

違います。

「宛先」が、まず初めにあるのです。

ハドリアヌス帝およびローマ市民という、届けるべき「宛先」の存在が、ルシウスというメッセンジャーを生み出し、そしてそのルシウスのまなざしによって、「たまたまそこにあったもの」が「贈与」へと変わった。

もしルシウスが孤独な男であったら、彼はメッセンジャーにはなれなかったでしょう。

贈与は「差出人」に与えられる

「私は不当に受け取ってしまった」

ここまではいい。

「私は一体誰に、これをつなげばいいのだろうか？」

ルシウスはそう苦悩するはずです。

しかし、彼には宛先があった。固有名のある、届けるべき宛先をきちんと持っていた。

ルシウスは、ハドリアヌス帝、そしてローマ市民を愛していた。そして贈与をローマへ持ち帰るという使命を彼らから与えられた。ルシウスはそう感じた。

だから、贈与はそれが贈与であるならば、宛先から逆向きに、差出人自身にも与えられる。

それは等価ではありません。まったく質の異なるものが、両者の間を行き来するのです。

その使命感とは「生命力」そのものです。

「受け取ってくれてありがとう」

「困った時に私を頼ってくれてありがとう」

これらは、差出人の側が何かを与えられたと感じたからこそ発することのできる言葉ではないでしょうか。

宛先を持つという僥倖。宛先を持つことのできた偶然性。

贈与の受取人は、その存在自体が贈与の差出人に生命力を与える。

「私は何も与えることができない」「贈与のバトンをつなぐことができない」というのは、本人がそう思っているだけではないでしょうか。

宛先がなければ、手紙を書くことはできません。

そして僕らは手紙を書かずには生きていけません。

「宛先としてただそこに存在する」という贈与の次元があるのです。

僕らは、ただ存在するだけで他者に贈与することができる。

受け取っているということを自覚していなくても、その存在自体がそこを宛先とする差出人の存在を、強力に、全面的に肯定する。

もはや一体どちらがどちらに贈与しているのか分からなくなり、「受取人」と「差出人」が刹那のうちに無限回入れ替わるような事態があります。

差出人と受取人が一つに溶け合ってしまうと言ってもいい。

ここではもはや、「与える／受け取る」という階層差はなくなり、並列的な関係へと変わります。

だとすれば、「私はあなたからかけがえのないものを受け取ることができました」というメッセージを届けること自体が、一つの返礼となるのではないでしょうか。

言葉にする必要はありません。自身の生きる姿を通して、「お返しはもうできないかもしれないけれど、あなたがいなければ、私はこれを受け取ることができませんでした」と示すこと自体が「返礼」となっている。

その意味においては、東田の言うように、贈与は完結するものとも言えます。

しかし、そのためには、「私はこれを不当に受け取ってしまった」と宣言できる主体が存在することが条件となります。

そんなメッセンジャーにとって、受取人という宛先の存在は救いとなるのです。なぜなら、宛先としての受取人の存在が、その不当性を正当なものに変えてくれるからです。この人に届けるためだったのか……という意味を与えるのです。人生の意味、生まれてきた意味を。

この世に生まれてきた意味は、与えることによって与えられる。

いや、与えることによって、こちらが与えられてしまう。

第1章で、親は、自身が愛されて育ったことに対する返礼の義務として子に愛を手渡す、と述べました。しかし、より正しくは、「親は子に与えることで与えられてもいた」のです。

親は贈与の宛先である子から生命力を与えられていたのです。単なる義務感だけで子供を育てられるわけがありません。子から見れば「親からの一方的な贈与」ですが、実は、親は子に生かされているのです。

「すでに受け取ったものに対する返礼であるのならば、それは自己犠牲にはなりません」

第1章の最後でそのように語りました。その理由は、今述べたとおりです。

自身が受け取った贈与の不当性をきちんと感じ、なおかつそれを届けるべき宛先をきちんと持つことができれば、その人は宛先から逆向きに、多くのものを受け取ることができるからだったのです。

だから贈与は与え合うのではなく、受け取り合うものなのです。

なぜ僕らは「勉強」すべきなのか

贈与はすべて、「受け取ること」から始まります。

「自分はたまたま先に受け取ってしまった。だからこれを届けなければならない」

メッセンジャーはこの使命を帯びます。

だから「生きる意味」「仕事のやりがい」といった、金銭的な価値に還元できない一切のものは、メッセンジャーになることで、贈与の宛先から逆向きに与えられるのです。

そして贈与は、受け取っていた過去の贈与に気づくこと、届いていた手紙の封を開けることから始まり、それは「求心的思考／逸脱的思考」という想像力から始まるのでした。

実は、これを実行する極めてシンプルな方法があります。

「勉強」です。

子供のころ、僕らが学校や保護者によってほぼ強制的に勉強させられていたのは、なぜだったのでしょう?

「まずは何はともあれ、世界と出会わなければならなかったから」です。

そうでなければ、「常識」が身につかなかった。

しかし、大人も勉強することができます。そして、それは世界ともう一度出会い直すための手段となるのです。

具体的に言えば、歴史を学ぶことです。いわゆる日本史、世界史も大切ですが、経済史、政治思想史、科学史、数学史、技術の歴史、医療の歴史なども重要です。

なぜ歴史か。そこには僕らの言語ゲームとはまったく異なる言語ゲームが描かれているからです。同じ人間であるにもかかわらず、生活上のあらゆる制度が僕らのそれとは異なっているのです。それは宗教的信念に基づいた違いでもあるし、政治的制度や経済的制度の違い、そして科学的・技術的違いから生じるものです。

それはいわば僕らにとっての異世界です。だから、そこにいる一人の生身の人間の視座から世界を眺めることができれば、それはそのまま逸脱的思考によって描かれるものと同質のものとなります。

ただし、条件があります。

歴史を学びながら、もしその世界に自分が生まれ落ちていたら、この目には何が映るのか、どう行動するか、何を考えるかを意識的に考えるようにすることです。そこに生きる一人の生身の人間としての自分を考えるのです。

それはもはやSFと同じ機能を有しています。過去の世界は、僕らにとって十分に異世界です。

そして、ふとその想像から戻ってきて、この現実の世界を見渡してみたとき、僕らにはあまりにも多くのものが与えられていることに気づくはずです。

不当に受け取っていたもの、誤配に気づくはずです。

これらは生まれる時代が異なっていたら、私のもとへは届かなかった、と。

また、科学史をひもとくと、狂気とも言えるような科学者たちの研究、調査、観測が山のようにあることに気づかされます。彼らのとんでもない苦労の成果を、僕らは教科書ですんなりと享受できるのです。

しかし、学校の教科書には彼らの「苦労」は書かれていません。

それが正しいのです。なぜなら、彼らはアンサング・ヒーローだからです。

アンサング・ヒーローは、彼らの贈与にいたるまでの苦労を教えてくれません。贈与の意味を教えてくれません。誤配された手紙に何が書かれているかを語ってはくれません。

誤配の手紙は僕ら自身で読み解かなければならないのです。

届いてしまっていた手紙を読み解く能力、それが想像力なのです。

それは、僕ら受取人の側が知ろうとしない限り、見えてきません。

今、僕らは近代民主主義、近代国家、市場経済システムという言語ゲームを生きています。そして、それを当然のものとして受け取っています。ですが、これらの制度も先人たちの努力の結果として、偶然、現代の僕らのもとに届いたものです。ある歴史的な出来事には、さまざまな偶然的なファクターが関与しています。歴史を学ぶというのは、そこに何ら必然性がなかったことを悟るプロセスでもあります。

この世界の壊れやすさ。

この文明の偶然性。

これに気づくために僕らは歴史を学ぶのです。

まさにユヴァル・ノア・ハラリの『サピエンス全史』で語られているような、広い意味での「歴史」を知ることが重要です。

『サピエンス全史』『銃・病原菌・鉄』など、優れた書き手による一般読者向けの歴史書が今ほど充実している時代はありません。これらの本をとっかかりに、さらに興味を持つことができたら、少しハードな歴史の学術書にもアクセスすればいいのです。

教養とは誤配に気づくこと

端的に言えば、教養とは、誤配に気づくことです。

どれだけ多くを知っていたとしても、それだけでは教養とは言えません。

手に入れた知識や知見そのものが贈与であることに気づき、そしてその知見から世界を眺めたとき、いかに世界が贈与に満ちているかを悟った人を、教養ある人と呼ぶのです。

そしてその人はメッセンジャーとなり、他者へと何かを手渡す使命を帯びるのです。

使命感という幸福を手にすることができるのです。

受取人の想像力から始まる贈与

なぜ僕らは「仕事のやりがい」を見失ったり、「生きる意味」「生まれてきた意味」を自問したりしてしまうのか。それが「交換」に根差したものだからです。

ギブ&テイク、ウィン - ウィン。残念ながら、その中から「仕事のやりがい」「生きる意味」「生まれてきた意味」は出てきません。

これらは、贈与の宛先から逆向きに返ってくるものだからです。

それが、メッセンジャーとなり、アンサング・ヒーローとなり、贈与の宛先から逆向きに仕事のやりがいと生きる意味を与えられるための道なのです。

ただし、ここでは注意が必要です。

「仕事のやりがいと生きる意味を与えてもらいたいから贈与する」は矛盾です。完全なる矛盾であり、どうしようもない自己欺瞞です。そんなモチベーションでは、やりがいも生きる意味も与えられません。

不当に受け取ってしまった。だから、このパスを次につなげなければならない。

誤配を受け取ってしまった。だから、これを正しい持ち主に手渡さなければならない。

誤配に気づいた僕らは、メッセンジャーになる。

あくまでも、その自覚から始まる贈与の結果として、宛先から逆向きに「仕事のやりがい」や「生きる意味」が、偶然返ってくるのです。

「仕事のやりがい」と「生きる意味」の獲得は、目的ではなく結果です。

目的はあくまでもパスをつなぐ使命を果たすことです。

だから僕は差出人から始まる贈与ではなく、受取人の想像力から始まる贈与を基礎に置きました。

そして、そこからしか贈与は始まらない。

そのような贈与によって、僕らはこの世界の「すきま」を埋めていくのです。

この地道な作業を通して、僕らは健全な資本主義、手触りの温かい資本主義を生きることができるのです。

あとがき

本書を書き終えた今、感謝の言葉を述べたい方々はたくさんいます。

僕をずっと支えてきてくれた家族や友人たち、仕事の仲間。

そして、本書を書くうえで議論・参考・引用させていただいた哲学者、研究者、著者の方々。

そうした先人たちの無数の贈与から本書は成り立っています。

「すでにそこにあったもの」を、つなぎ直して、結び直して、マッシュアップしたのが本書です。


僕が初めてウィトゲンシュタインと出会ったのは、哲学者・野矢茂樹さんの著作を通してでした。本書第6章の「世界像を固定することで新たな知識が獲得される」という議論は、野矢さんの『他者の声　実在の声』第2章「疑いと探究」に示唆を受けています。


「あとがき」では、執筆にあたってお世話になった方々への感謝の言葉を述べるのが通例です。これはまさに贈与論的に正しいのです。

なぜなら、本を書くという営み自体が、著者をメッセンジャーに変えるからです。

自身が受け取った知見を世の中に正しく届けるためには、自らが「贈与の起源」になってはなりません（映画「ペイ・フォワード」のトレバー少年は、自らが起源であると暴露してしまったがゆえに贈与に失敗したのでした）。だから、先行する贈与があったという事実を示す必要があるのです。

僕に先行する贈与者は本当にたくさんおられますが、ここでは一人だけ感謝を述べさせてください。

なぜその方かというと、僕が文章を書くことに関して、一番初めに背中を押してくれた方だからです。

『敗戦後論』などの著作で知られる文芸評論家の故・加藤典洋さんです。

僕はかつて、加藤さんのゼミに参加させてもらっていました。当時は、自分なりに文章を書き始めるようになった時期でした。

「近内君、最近どう？」

ある飲み会の席で、加藤さんは気さくに声をかけてくれました。

「今、いろいろ文章を書いてみているんです。でも、文章を書くと、ああ、自分はからっぽなんだなって思い知らされるんです」

僕は思わず加藤さんにそう漏らしました。
そんな僕の取るに足らない愚痴に、加藤さんはこうおっしゃいました。
「文章を書いて、自分がからっぽだ、って思わなかったら嘘だよ」
からっぽだと自覚するところから文章は始まる。
それで正しいんだよ。
そう言ってくださった気がしたのです。

「自分はからっぽ」ということは、今自分が手にしているものは一つ残らず誰かからかもらったものだ、ということです。他者からの贈与が、自分の中に蓄積されていったということです。
ですから、僕はゼロからこの本を書いたわけではもちろんありません。僕が幸運にして受け取ることのできたものを、メッセンジャーとしてあなたにつなぐために書き上げたテキスト。それが本書です。

本書で論じたように、この場合の僕は「差出人」ですから、この贈り物が皆さんの元にちゃんと届くかどうかは僕には分かりません。

この本を読んだあなたが、何かを知るだけではなく、受け取っていた贈与に気づいてしまう、そんな本になっていたらいいな、と祈っています。

2020年2月

近内悠太

全集９』、黒田亘・菅豊彦訳、大修館書店、1975年

●第６章
ルートヴィヒ・ウィトゲンシュタイン『確実性の問題／断片　ウィトゲンシュタイン全集９』、黒田亘・菅豊彦訳、大修館書店、1975年
ゲルマン・スミルノフ『メンデレーエフ伝――元素周期表はいかにして生まれたか』、木下高一郎訳、講談社ブルーバックス、1976年
トーマス・クーン『科学革命の構造』、中山茂訳、みすず書房、1971年
トーマス・クーン『科学革命における本質的緊張――トーマス・クーン論文集』、安孫子誠也・佐野正博訳、みすず書房、1998年
アーサー・コナン・ドイル『緋色の研究　新訳シャーロック・ホームズ全集』、日暮雅通訳、光文社文庫、2006年
アーサー・コナン・ドイル『四つの署名　新訳シャーロック・ホームズ全集』、日暮雅通訳、光文社文庫、2007年
アーサー・コナン・ドイル「ボヘミアの醜聞」、『シャーロック・ホームズの冒険　新訳シャーロック・ホームズ全集』、日暮雅通訳、光文社文庫、2006年

●第７章
小松左京「夜が明けたら」、『夜が明けたら』、ハルキ文庫、1999年
小松左京『小松左京のSFセミナー』、集英社文庫、1982年
星新一『きまぐれ博物誌』、角川文庫、2012年
ヤマザキマリ『テルマエ・ロマエ』〔全６巻〕、エンターブレイン、2009年－2013年

●第８章
小松左京『復活の日』、ハルキ文庫、1998年
小松左京『SF魂』、新潮新書、2006年
アルベール・カミュ『シーシュポスの神話』、新潮文庫、1969年
内田樹『街場の憂国論』、晶文社、2013年

●第９章
白川静・梅原猛『呪の思想』、平凡社ライブラリー、2011年
ヤマザキマリ『テルマエ・ロマエ』〔全６巻〕、エンターブレイン、2009年－2013年
松村圭一郎『うしろめたさの人類学』、ミシマ社、2017年
東浩紀「接続、切断、誤配」、『ゲンロン７』、ゲンロン、2017年
影山知明『ゆっくり、いそげ――カフェからはじめる人を手段化しない経済』、大和書房、2015年
内田樹『困難な成熟』、夜間飛行、2015年
東田直樹『自閉症のうた』、角川書店、2017年

●おわりに
野矢茂樹『他者の声　実在の声』、産業図書、2005年

参考文献

●はじめに

マイケル・サンデル『それをお金で買いますか——市場主義の限界』、ハヤカワ・ノンフィクション文庫、2014年

戸田山和久『哲学入門』、ちくま新書、2014年

●第1章

ユヴァル・ノア・ハラリ『サピエンス全史——文明の構造と人類の幸福』〔上・下〕、柴田裕之訳、河出書房新社、2016年

マイケル・サンデル『それをお金で買いますか——市場主義の限界』、ハヤカワ・ノンフィクション文庫、2014年

カール・マルクス『経済学・哲学草稿』、城塚登・田中吉六訳、岩波文庫、1964年

今村仁司『交易する人間——贈与と交換の人間学』、講談社選書メチエ、2000年

●第2章

湯浅誠『反貧困——「すべり台社会」からの脱出』、岩波新書、2008年

サミュエル・ボウルズ『モラル・エコノミー——インセンティブか善き市民か』、植村博恭・磯谷明徳訳、NTT出版、2017年

藤本耕平『つくし世代——「新しい若者」の価値観を読む』、光文社新書、2015年

●第3章

岸田秀『フロイドを読む』、河出文庫、1995年

田口ランディ『根をもつこと、翼をもつこと』、新潮文庫、2006年

グレゴリー・ベイトソン『精神の生態学』〔第1版〕、佐藤良明訳、思索社、1990年

●第4章

内田樹『困難な成熟』、夜間飛行、2015年

酒井穣『ビジネスパーソンが介護離職をしてはいけないこれだけの理由』、ディスカヴァー・トゥエンティワン、2018年

東浩紀『ゲンロン0——観光客の哲学』、ゲンロン、2017年

東浩紀『存在論的、郵便的——ジャック・デリダについて』、新潮社、1998年

ジャック・デリダ「真理の配達人」、清水正・豊崎光一訳、『現代思想』1982年臨時増刊号、青土社、1982年

●第5章

Stevan Harnad, "The Symbol Grounding Problem", *Physica D*, 42: 335-346, 1990

ルートヴィヒ・ウィトゲンシュタイン『哲学探究　ウィトゲンシュタイン全集8』、大森荘蔵・杖下隆英訳、大修館書店、1976年

ルートヴィヒ・ウィトゲンシュタイン『青色本・茶色本　ウィトゲンシュタイン全集6』、大森荘蔵・杖下隆英訳、大修館書店、1975年

ルートヴィヒ・ウィトゲンシュタイン『確実性の問題／断片　ウィトゲンシュタイン

著者プロフィール

近内悠太（ちかうち・ゆうた）
1985年神奈川県生まれ。教育者。哲学研究者。
慶應義塾大学理工学部数理科学科卒業、日本大学大学院文学研究科修士課程修了。専門はウィトゲンシュタイン哲学。リベラルアーツを主軸にした統合型学習塾「知窓学舎」講師。教養と哲学を教育の現場から立ち上げ、学問分野を越境する「知のマッシュアップ」を実践している。
本書『世界は贈与でできている』がデビュー著作となる。

装幀――――水戸部功
本文デザイン・図版・DTP――朝日メディアインターナショナル
校正――――鷗来堂
営業――――岡元小夜・鈴木ちほ
事務――――中野薫
編集――――富川直泰

世界は贈与でできている
——資本主義の「すきま」を埋める倫理学

2020年 3月13日 第1刷発行
2024年 3月 5日 第9刷発行

著者————近内悠太

発行者———金泉俊輔

発行所———ニューズピックス(運営会社:株式会社ユーザベース)

〒100-0005 東京都千代田区丸の内 2-5-2 三菱ビル

電話 03-4356-8988 ※電話でのご注文はお受けしておりません。
FAX 03-6362-0600 FAXあるいは左記のサイトよりお願いいたします。

https://publishing.newspicks.com/

印刷・製本—シナノ書籍印刷株式会社

ISBN 978-4-910063-05-8
本書に関するお問い合わせは下記までお願いいたします。
np.publishing@newspicks.com

JASRAC 出 2001884-001

希望を灯そう。

NEWS PICKS
PUBLISHING

「失われた30年」に、
失われたのは希望でした。

今の暮らしは、悪くない。
ただもう、未来に期待はできない。
そんなうっすらとした無力感が、私たちを覆っています。

なぜか。
前の時代に生まれたシステムや価値観を、今も捨てられずに握りしめているからです。

こんな時代に立ち上がる出版社として、私たちがすべきこと。
それは「既存のシステムの中で勝ち抜くノウハウ」を発信することではありません。
錆《さ》びついたシステムは手放して、新たなシステムを試行する。
限られた椅子を奪い合うのではなく、新たな椅子を作り出す。
そんな姿勢で現実に立ち向かう人たちの言葉を私たちは「希望」と呼び、
その発信源となることをここに宣言します。

もっともらしい分析も、他人事のような評論も、もう聞き飽きました。
この困難な時代に、したたかに希望を実現していくことこそ、最高の娯楽《エンタメ》です。
私たちはそう考える著者や読者のハブとなり、時代にうねりを生み出していきます。

希望の灯を掲げましょう。
1冊の本がその種火となったなら、これほど嬉しいことはありません。

令和元年
NewsPicksパブリッシング 編集長
井上 慎平